KB189576

악역의 엔딩은 죽음뿐

악역의 엔딩은 죽음뿐
수월 만화 ◇ 권겨을 원작
8
D&C
WEBTOON

※ 이 책은 웹툰 「악역의 엔딩은 죽음뿐」 141화~157화의 편집본입니다.

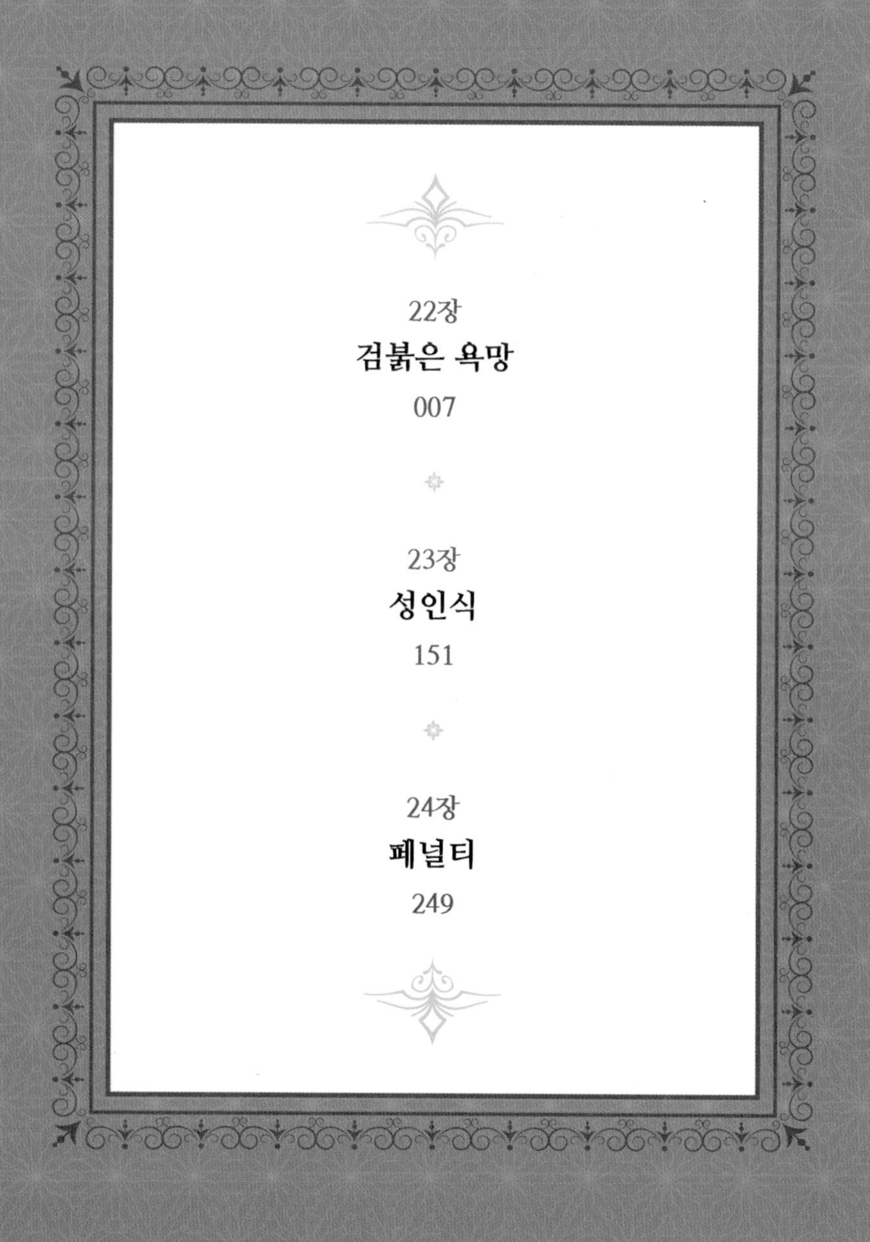

22장

검붉은 욕망

네?
그게 다라고요?
억만금을 요구해도
모자랄 기회를
잡아 놓고?
어린놈의 새끼가
도통 속을
알 수가 없어.
페넬로페,
그런 놈을 꼭 곁에
둬야겠느냐?

……일단,
만나 보게만
해 주세요.
안 된다.
아버지,
제발…
네 성인식이
바로 코앞이야.

안 그래도
이목이 쏠려 있는 마당에,
그깟 노예와
구설수라도 퍼지면
그걸 어찌 감당하려고!
그럼 답은
정해져 있네요.

제 성인식을
취소해 주세요.

페넬로페!
밤새 생각하던 일이었어.
만약 이클리스, 그 빌어먹을 놈과 엔딩을 보는 데 실패한다면…
이렇게 예민한 시기에 굳이 성인식을 진행할 필요가 있을까요?
성인식을 아예 없던 일로 하거나 또는 미루기라도 하면,
노멀 모드의 시작도 늦춰지지 않을까.
네 성인식을 위해 얼마나 공을 들였는지 아느냐?
이런 중대사를 그까짓 노예 놈 하나 때문에 취소하겠다고?!
정확히는 그놈 하나뿐만은 아니죠, 아버지.

'진짜 공녀'가
돌아왔다는 사실이
알려진다면,
성인식 자체가 얼마나
우스워지겠어요?
진짜 공녀라니!
그 무슨 망발…!
?
—페넬로페.
왜 그런
표정을 짓는…
내 표정?
…뭐가 어때서?

…….
이본에 대해서는
철저히 입단속을 했으니
염려 마라.
성인식까지는
공표할 일 없다.
하지만,
아버지…
그만,
페넬로페
에카르트.
이미 황궁에까지
초대장을 모두
발송한 상태야.
취소는
절대 안 될 말이니
그렇게 알거라.
…….

…아버지는
제게 이해를
바라시면서,
제가 바라는 건
단 하나도 들어주지
않으시네요.

…페넬로페.
그만
일어날게요.
벌떡

붙잡지도
않는구나.

…별로
기대한 건
아니야.
저벅…

뚜벅
뚜벅
호위가 아니라
무슨 교도관 같네.
슥

아가씨,
오셨어요?
풀썩
에밀리.
네?

그 애는 온종일
뭐 하고 지낸다니?
'성인식까지는
공표할 일 없다'고
공작이 말했으니,
이본도
어쨌든 이 집에
묶여 있다는 뜻이겠지.

안 그래도
방금 막 베키에게
들었는데요….
낮에는 기억을
되찾는다는 명목으로
하녀장님을 따라
저택을 구경 다니고
저녁을 먹고서는
하녀도 없이 혼자
산책을 다녀온대요.
산책이라면,
연무장 근처의
숲 쪽이겠지?
어, 어떻게
아셨어요?

뻔하지.
이클리스를 만나러
다니고 있구나.
지금은
뭐 한대?

그게…
머뭇

…소공작님과
다과를
들고 있대요.

저…
아가씨. 너무
마음 쓰시지는…
안 써.
그보다
하나만 더 부탁하자,
에밀리.

어떤
부탁요?
귀를 좀
대 주렴.
소곤
소곤

아, 아가씨!
?

쉿,
아무튼 알겠지?
시킨 대로 가져와.
잘은
모르겠지만
네… 네, 아가씨.
비밀 작전이란 거죠?
맡겨만
주세요!

아가씨,
그 여자가 지금
저녁 식사를
시작했대요.
그러니.
수고했어.
이제 나가 봐.
시키신 대로
하인 옷을
갖다드리긴 했지만,
사람들 눈을
피하려고 남장이라니…
아무리 그래도
티 나지 않을까요,
아가씨?
마차 타고
가면서 봐도
아가씨실 텐데
잘 보렴.
잘그락

번쩍
어머나!
세상에…! 마법인 거예요, 아가씨?
얼굴 외워 둬.
이따가 이 모습으로 돌아올 거니까.

전혀
못 알아보겠어요!
그런 신통한 팔찌는
어디서 나신 건가요?!
낮에 지 동생이랑
다과나 처들던
소공작께서 주셨다.
알 거 없고.

이제 나
내려갈 거니까
너도 나가서 망봐,
에밀리.
두둥
산더미 같은
이불보 밧줄

여, 역시 창문으로
나가시는 건
너무 위험한 것 같아요.
이렇게 높은데…
그러니까
하루 종일 걸려서
이만큼
묶어 놨잖아.
※2권 28쪽
그때의 실패를
두 번 다시
겪을까 보냐.

알겠어요….
방에 아무도
들어오지 못하게
하고 있을 테니까,
정말로
조심하셔야 해요?
알았다니까.

호위 놈들 모르게
이클리스를
만나러 갈 방법이라면
이 길밖에 없는걸.

생각해 보면
그때도
노예 경매장에
가려고 나간 거였지.

그 망할 놈 때문에
두 번이나
웬 개고생이야….

◈ SYSTEM ◈

돌발 퀘스트 발생!
{깜짝 방문}
하드 모드 기간 종료까지 D-3!
아직도 호감도를 못 채웠다면,
당신을 기다리는 공략 대상을 직접 찾아가 보세요!

1 데릭
2 칼리스토
3 빈터
4 레널드
5 이클리스

뭣…
아이고
삭신이야
하루 종일
뻘짓한 사람 됨
이 망겜아,
이런 시스템은
이불보 묶기 전에
나왔어야지!!

에휴
하긴, 그래도
벽 타는 짓거리
또 하기보단 낫나.
SYSTEM
<이클리스>를 선택했습니다.
만남의 장소로 이동합니다.
멈칫…
칼리스토
……아니야.

여긴…
이클리스가 갇힌
지하 영창이
있는 곳?
생각보다도
더 구석지고
음침한 데네.
파스락
아무렴 어때.
안으로 들어갈 변명은
이미 생각해 놨어.
최대한
자연스럽게—

헉.

미친,
데릭…!!
들어가십시오,
단장님!
고생들 해라.

핫
팔찌를
보이면 안 돼!
설마
알아보진 않겠지.
변신한 모습까진
모를 거 아냐.
저벅
저벅

조마
제발
NPC로 보고
지나가라.
제발….
조마
저벅

휴….
이봐.
덥석

…저, 저를
부르셨습니까?
저택에서 일하는
자인 듯한데…
여긴
어쩐 일이지?
고…공녀님의 명으로
수감된 노예의
세탁물을
가지러… 왔습니다.
미리 생각해 둔
변명
공녀?
페넬로페
그 아이가
시키던가?
아니요.
이본… 아가씨께서
시키셨습니다.

…입조심해라.
아직 확정도
나지 않은 일을
함부로 떠들다니,
분명 주의하라는 명이
전해졌을 텐데.

죄, 죄송합니다,
소공작님.
시정하겠습니다!

먼저 물어봐 놓고
왜 성질이야?
하여간 성격 더러운 놈.
오붓하게
다과까지 들어 놓고
이상하군.
묘하게
낯이 익은데…
철렁

쯧
들어가 봐라.
네!
감사합니다.
살펴 가십시오!

망할 놈.
이거나
먹어라
상상의
중지

맨 안쪽이다.
계단 아래로
곧장 내려가도록.
끼이익…

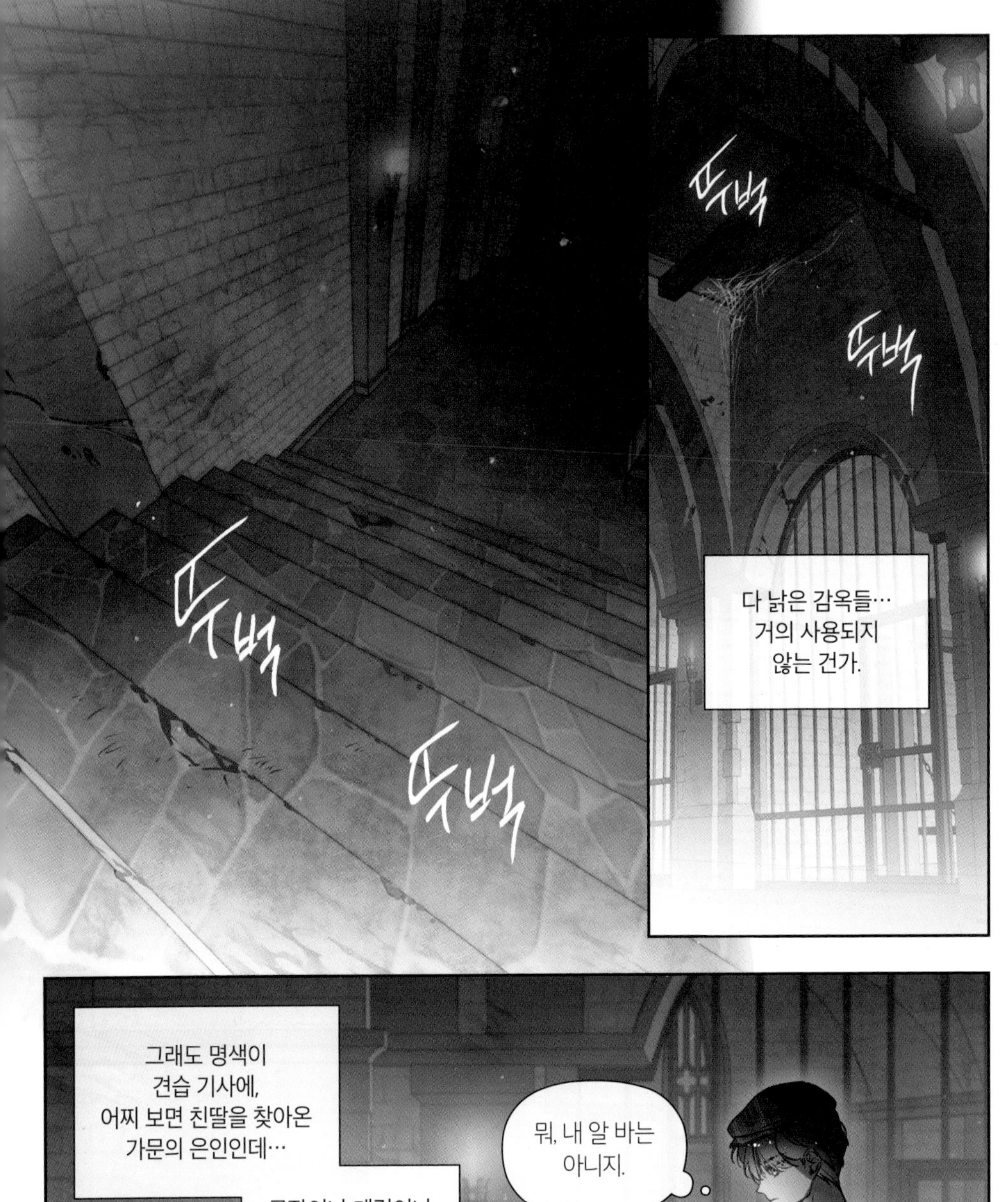
뚜벅
뚜벅
뚜벅
뚜벅
다 낡은 감옥들… 거의 사용되지 않는 건가.

그래도 명색이 견습 기사에, 어찌 보면 친딸을 찾아온 가문의 은인인데…
공작이나 데릭이나 그놈을 얼마나 고까워하는 건지.
뭐, 내 알 바는 아니지.
잘그락

뚜벅
뚜벅

안녕.
움찔..
……주인님?

비척..

스윽

꿈…?
SYSTEM
<이클리스>의 호감도를
확인하겠습니까?
18,000,000 골드
400 명성

나야말로
이 빌어먹을 상황이
꿈이길 빌고 싶어.
여긴,
어떻게…
잘 지냈니?
…주인님은요?
싱긋
…그럴 리
없잖니.
잘 못 지냈어.
이런 허접한 꼴로
몰래 널 만나러
와야 할 만큼.

소식은 들었니?
도주하려던
네 고국인들이 모두 붙잡혀
처형당한다더구나.
덕분에
남아 있던 델만인들까지
전국으로 뿔뿔이
흩어졌다지.
끄덕..

…이 사흘간,
수도 없이 생각해 봤어, 이클리스.
네가 내게 왜 그랬을까. 내가 더 못 해 준 게 있었을까.
네 야망을 너무 몰라줬나. 혹은 터무니없는 오해가 있는 걸까…
필사적으로 생각했는데…
면천도, 작위도 원하지 않는다고 했다더구나.
내가 그렇게 원망스러웠니?
널 사 온 나를 역모로 엮어서 죽이고 싶을 만큼?

또는 공작의
친딸을 데려와
끌어내리고 싶을 만큼,
밉고 증오스러웠어?

…주인님.
움찔
턱

네가 고발에
날 끌어들인 탓에,
이제 난 더 이상 네게
관여할 수도 없어.

이게 네
바람이었니?
힘없는 헌 주인 대신,
새 주인으로
갈아타고 싶었어?
새 주인 따위는
없어요.

어차피 저는
곧 면천할 거예요.
패전국의 노예가
같은 델만인들을
고발했으니,
제국은 선례를
세우기 위해서라도
제 신분을 평민으로
올려 두겠죠.
그러니 제가
새 주인 밑으로
들어갈 일은 없어요.

그럼 왜
첫째 오라버니에겐
아무 말도
하지 않았니?
그래야
별 의심 없이
이곳에 남아 있을 수
있으니까.

……!

소공작에게
하나라도 요구했다면
그 핑계로 저를
저택에서 내보냈겠죠.
역겹더라도,
순수하게 은혜 갚는
충신 노릇을 해야
이 에카르트 공작저에…
당신 곁에
안전히 남아 있을 수
있으니까요,
주인님.
내 곁…?
네.
주인님 곁.

하.
무슨…
무슨 헛소리를 하는 거니, 이클리스.

넌 지금껏 쭉 내 곁에 있었어.
오히려 네가 진짜 공녀를 데리고 온 덕분에, 난 공작저에서 쫓겨날 판이란다.
네까짓 게 무슨 수로 내 곁에 남아?

어디로 가시는데요? 주인님을 따라서 저도 전출 지원을 하면—
헛소리 좀 집어치워!

내가 언제
그딴 걸 원한다고
한 적 있어?
내가 그럴 거라고
네 멋대로 추측해서,
네 멋대로
결론 내린 거잖아,
이 미친 새끼야!

뭐…?
이번에는 달라요, 주인님.
주인님이 원하시는 게 아니라, 제가 원하는 걸 위해서 움직였어요.
당신이 아니라,
온전히 나를 위해서.

…왜?
나는
최선을 다했어.

해 달라는 대로
다 해 줬잖아.
필요한 물건도,
네 처우도, 스승도…
다 해 주려고
노력했잖아.
그런데
왜?
분명 정답을 따라
차근차근
공략해 왔어.
틀림없는데.

너
대답해!
왜 이제 와서
나한테 이러는 건데,
이클리스!
나를
사랑하면서…!!
…알고…

알고…
계셨어요?
—모를 리가
없잖아.
세상 어느 노예가
그런 눈으로 주인을
쳐다보겠니?

알고 계셨으면서…
왜 제가 도망가자고
말했을 때
거절하셨어요?
그랬으면
뭐가 달라지는데?
널 따라
멀쩡한 내 집,
내 돈 놔두고
쫓기는 처지가 되면
그다음은?
당신이 좀처럼
그 자리에서
내려올 것 같지
않으니까.
세상 누구보다
불행한 표정을
짓고 있으면서,
이 빌어먹을
집구석에서 조금도
벗어나려 하지
않잖아요.

아버지와
두 오라버니들에겐
뭐라고 할까?
일개 노예에 미쳐서
공녀로서의
지위도 평판도
다 버리겠다고?
중얼
…이럴까 봐
그랬어요.
그 농가에서
다친 이본을 발견했을 때
얼마나 고민했는지
몰라요, 주인님.
그게 무슨…

쥐도 새도 모르게
그 애를
죽여 버리면…
당신의 자리를
위협하는
모든 걸 제거하면,
나한테 환히 웃어 줄까.

그런데 그래선
주인님 좋은 일만
하는 거잖아요.

주인님은
이 집에 있어서
불행한 건데
이본을 죽이면
당신이 진짜 공녀가
돼 버리잖아.

…손 놔.
그래서 생각을
달리해 봤어요.
공작의 친딸을
이용해서,
주인님을 점점
고립시킨 다음에…
놔.
이거 놔!

이루려는
'목적'을 포기시키고
주저앉히면
어떨까… 하고.
목…
목적?
무슨 목적…
당신이
경매장에서 저를
사 왔을 때부터,

필사적으로
제 호감을 사려던
이유 말이에요.

전부 다
알고 있었어.

내 모든 행동이
호감도를 쌓기 위한 철저한 계산 아래 행해지고 있었다는 사실을…
소드 마스터…? 너, 너 진작에…
하지만 그 정도론 내가 가질 수가 없잖아.
신분? 그까짓 건 제 힘으로 얼마든지 이룰 수 있어요.
귀중한 소드 마스터를 제국에서 놓칠 리 없잖아요.
'목적'을 위해 날 철저히도 이용하는 당신,
달콤한 말을 늘어놓고, 조금이라도 다가가려 하면 곧바로 달아나는 당신.

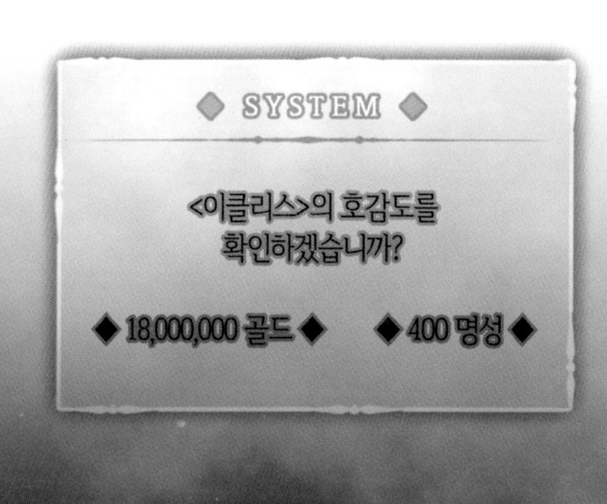
SYSTEM
<이클리스>의 호감도를 확인하겠습니까?
◆ 18,000,000 골드 ◆
◆ 400 명성 ◆

이런 나를… 조금도 사랑하지 않는 널,

99%
SYSTEM
18,000,000 골드를 지불하여
<이클리스>의 호감도를 확인합니다.
남은 소지금 : 999,999,999+ 골드
사랑해, 페넬로페.

99%
—이제야
분명히 알겠어.

저 1%가
채워질 날은

영원히 오지 않는다.

널 가지고 싶어,
페넬로페 에카르트.
너…
정말 미쳤어?
맞아요.
당신이 날 이렇게
미치게 만들었어.

날 이렇게 만들어 놓고
말간 얼굴로
시치미 뗄 때마다
환장할 것 같아요.
어쩌겠어요.
그런데도 이렇게
사랑스러운데….

…….
왜 그렇게 떨어요,
주인님…
화났어요?
저야말로 시킨 대로
했잖아요.
공작저의
모두가 인정할 만큼
제 가치를
증명했어요.
아니면
제가 무서워요?
처음 만났을 때처럼?
가엾게도.
…미친 새끼.

…떨지
마세요.
어차피
아무 일도 없을 거예요.
당신은 여전히
에카르트 공녀고…

난 그런 당신의…
하나뿐인 기사니까.

오직 당신만이
내 목줄을
틀어쥘 수 있어요,
사랑하는
나의 주인님.
목줄?

내가 왜?

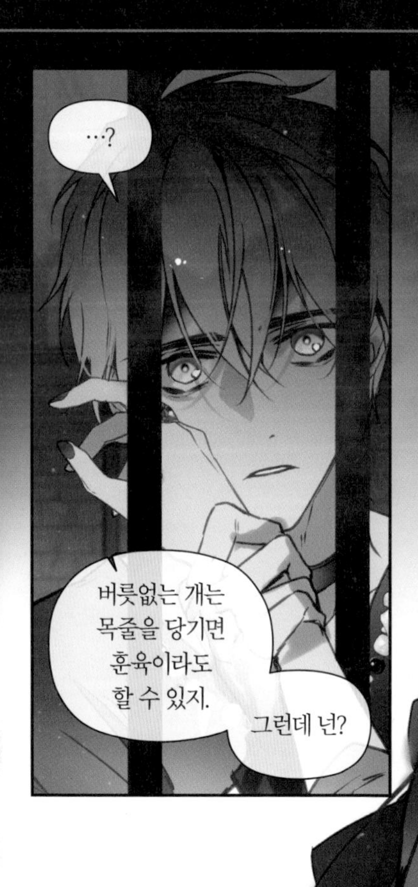

…?
버릇없는 개는 목줄을 당기면 훈육이라도 할 수 있지.
그런데 넌?

감히 주인을 물어뜯어 놓고

가치를 증명했다니?

…주인님…
페넬로페.
입 닥쳐.
그래,
네 말이 맞아.
널 이용하려고
데리고 왔어.
그런데 그게 뭐?
결국 너 때문에
내 목적을
이루긴커녕
이 개판이
나 버렸는데?
개는
개답게 굴어야지,
이클리스.
주인을 무는
개새끼에게
무슨 가치가 있니?

!
주인…!

——
내가 말했지.
배신은 죽음뿐이라고.

이제 내게 넌 죽은 존재야,

이클리스.

악역의
엔딩은
죽음뿐

이클리스,
도와줘.

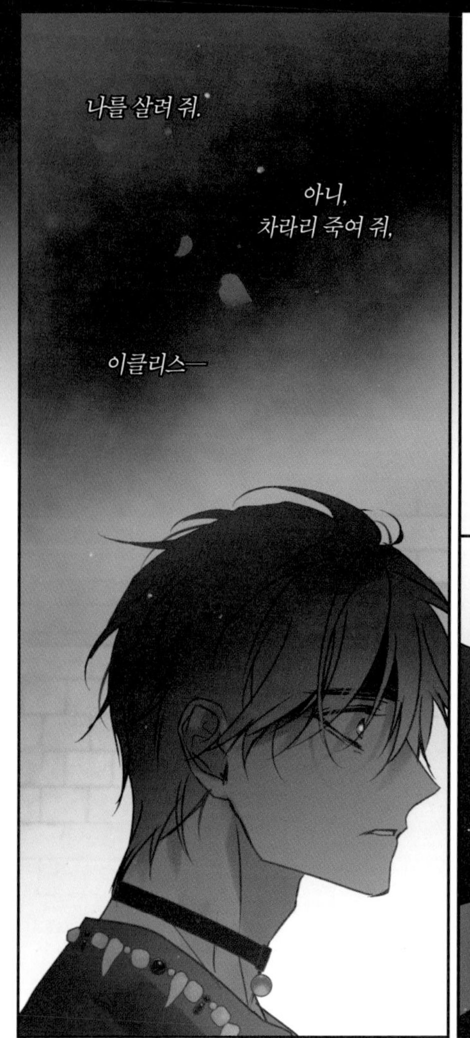

나를 살려 줘.
아니,
차라리 죽여 줘,
이클리스—

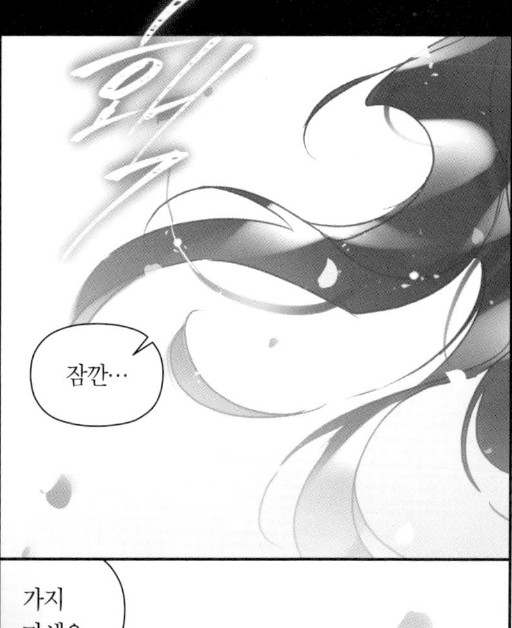

잠깐…

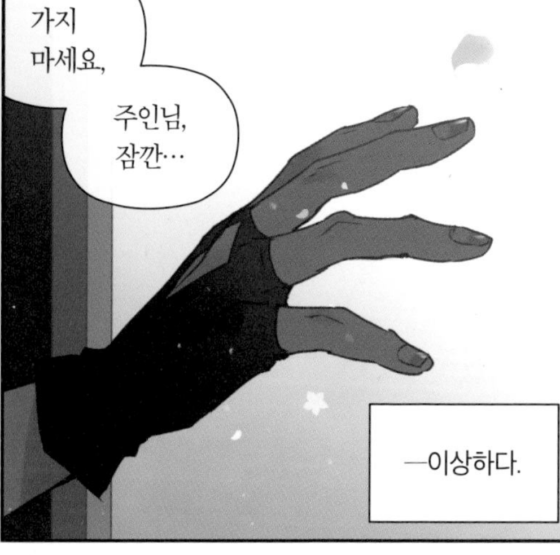

가지
마세요,
주인님,
잠깐…
—이상하다.

이쯤이면 주인님이
돌아보실 때가 됐는데.

늘 그러셨는데.
독하고 매몰차게 대하셔도,
결국은 모두
받아 주셨는데….

무언가가…
잘못됐어.
번쩍
──!

주인님!
가지 마세요,
아직 할 말이…
페넬로페!

페넬로페,
가지 마!
페넬로페!

페넬로페—!!

파뜩
……
…반지.

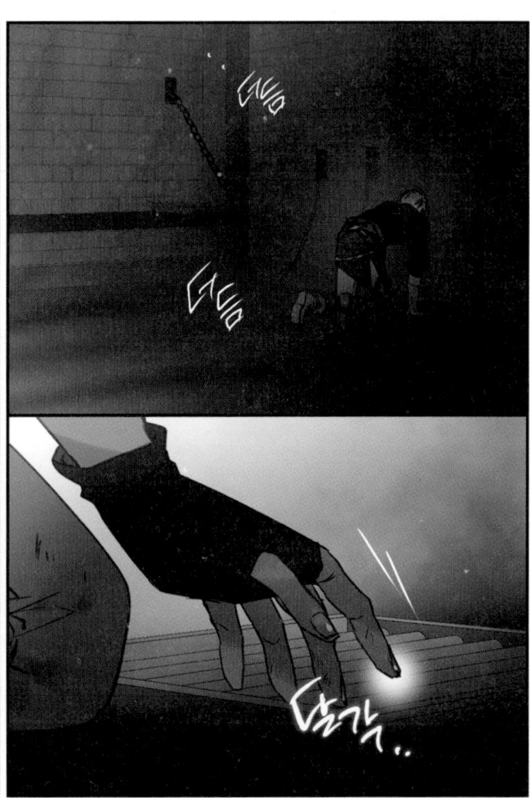
더듬
더듬
달각..

……왜지?
이해가 안 가.

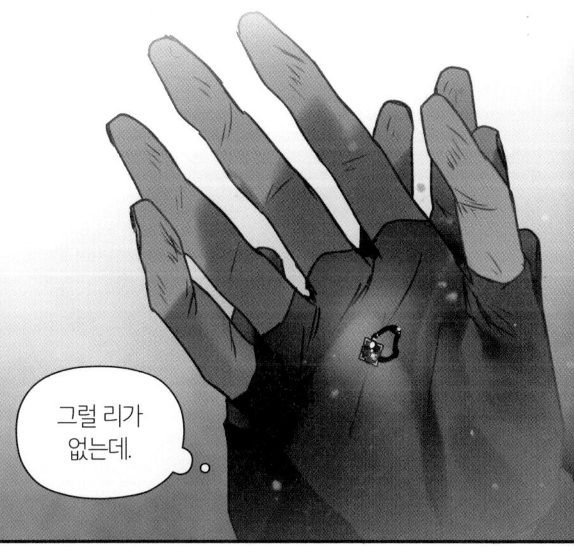
이본을 데려오면
전에 없이 화내리란
것쯤은 예상했지만,
이런 식은 아니었어.
꼭 날 버리기라도
하는 것처럼…
그럴 리가
없는데.

날 계속
이용해야 하잖아,
페넬로페.
네게는
'목적'이 있잖아.
맞지?
그걸
이루기 위해서라도
날 버릴 순
없을 터인데—

너무
화가 나서…
그런 거야.
중얼

화가 풀리면 곧
다시 찾아올 거야.
언제나 그랬듯이,
꽃처럼 어여쁘게
웃으면서—
…이클리스.

이클리스,
어디 아파?

──!
커헉…!
…널 죽이지 않고
공작저로 데려가 주면
다 해결될 거라며.

이, 이클…
컥,
종알
완전한 소드 마스터가 아니면 주인님께서 실망할 거라고 해서
종알
검기를 다루게 된 사실도 감추고, 고국 사람들까지 팔아먹었어.

네가 하라는 대로 했어, 이본.
그런데 주인님이 꼭 다신 나를 안 볼 것처럼 구셔.
내가 죽은 존재래. 왜 그러지?
이, 이클…리, 헉…
어? 페넬로페가 왜 그러는 건데.

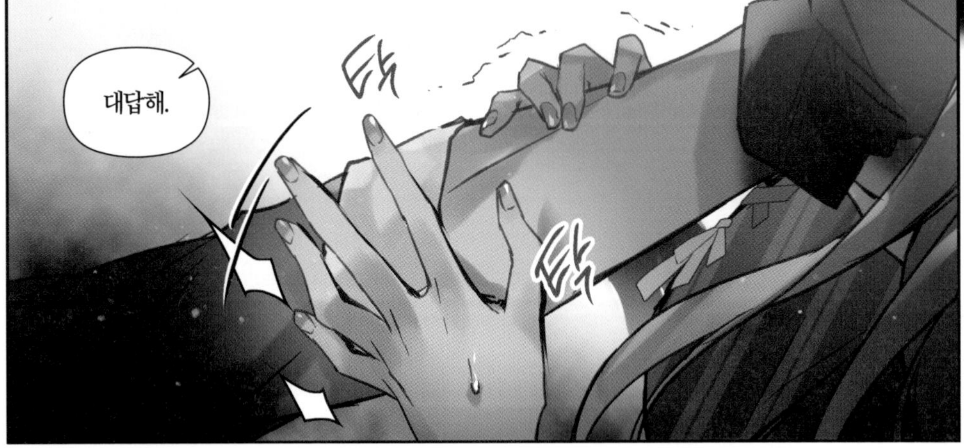
대답해.
탁
탁

푸헉!
허억, 헉….

뭐… 뭐가 문젠데?

검기를 다룬단 걸 보였다면 바로 면천을 받았을 거야.
비열하게 고국인들을 팔지 않아도 내 힘으로 작위를 받아서—

뭐가 문제?
받으면?

적국의 포로에게 얼마나 대단한 작위를 주겠어.
재산도 없는 하위 귀족이 된다 한들, 공녀님이 까마득한 건 변하지 않아….
…맞아, 그랬지.
작위가 생겨도 공녀님의 곁에는 설 수 없어.
이미 다 했던 얘기잖아, 이클리스.

그건…
한때 꿨던 꿈일 뿐이다.

'정식으로 검을 배워
내 능력을 입증하자.'
'당당하게 작위를 받아,
노예가 아닌 기사로서
주인의 옆에 서는 거야.'
아무리 기를 써도
이뤄질 기미조차
보이지 않던 꿈.
가망 하나 없는
순진했던 꿈….

안녕.

첫눈에 공작의
친딸이라는 걸
알았다.
그래서
제거하려 했었다.
하나뿐인 주인을 위해.

불, 쌍한…
사람.
이뤄지지
못할 꿈을
꾸고 있구나…?

내가
도와줄 수 있어.

내 가족들 곁으로…
네가 나를
데려가 준다면.

가족을 원한 자와
공녀를 원한 자.

그렇게
성사된 거래였다.
…하지만.

붙잡히신 분들은… 슬프지만 그게 최선이었어, 이클리스.
그분들이 도주를 꾀한 건 사실인걸.

공녀님도, 지금은 혼란스러우시겠지만… 곧 진심을 알아주실 거야.

이 집에서 너만큼 공녀님을 생각해 주는 사람은 아무도 없잖니….

뭔가가 이상해.

정말로 이게 맞는 길인가?

이 애와 손잡고 페넬로페를 끌어내려 손에 넣는 게 정말로 최선…?

잘 생각해 봐… 이클리스.

만약 네가 이러지 않았다면 공녀님이 어떻게 되셨을지.

이 집에서
기어이 말라 죽어 가며
날 향해 울부짖는
그녀의 모습이…
도와줘.
나를 살려 줘.
차라리 죽여 줘,
이클리스….
…아아…
그래.
황궁 연회에서
주인이 혼자 돌아왔던
그날 밤부터
뇌리를 떠나지 않아.
그렇게 되기 전에
내가 구해 줘야 해.
빨리 이곳에서
데리고 나가야만
살릴 수 있는데….

더 아끊.
네 마음 알아,
가여운
이클리스…
두려운 거지?
소중한 공녀님을
잃을까 봐.
페넬로페…
…안 돼….

나를 믿어.
나만이 이렇게
비참하고 초라한 널
이해할 수 있어.
오직 나만이
진정한 네 편이
되어 줄 수 있어….
…네가…
왜 나랑
같은 편이야.
징얼

너는…
주인님을 위해
언젠…간,
죽어야만 할…
멈칫

아직도 부족한 거야?

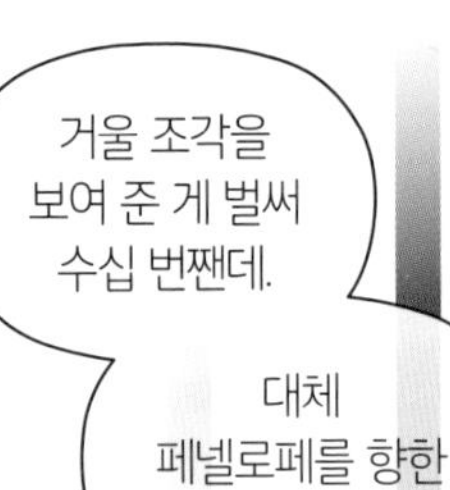
거울 조각을 보여 준 게 벌써 수십 번짼데.
대체 페넬로페를 향한 이 집착은 뭐지?
그를 사랑하지 않는 가짜 공녀에 대한 증오를 심고

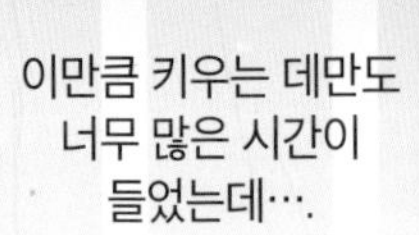
이만큼 키우는 데만도 너무 많은 시간이 들었는데….

…….

빨리
떨어진 조각을 찾아야 해.

진짜였어.
솔레일에서 봤던 그 모든 것들이 착각이 아니었어.
하아
하아
그때 그 사람 먹는 괴물이
정말로…!!
빨리 떨어진 조각을 찾아야 해.
그날 동굴에서 내가 주운 조각을 찾고 있는 거야.

이대로 있다간
무슨 일이
닥칠지 몰라.
생각해야 돼.
죽지 않고
이 빌어먹을 곳에서
빠져나갈 방법을!

째깍
째깍

저걸 발동시키면 안 됩니다!
레일라족이 손에 넣은 고대 유물입니다. 상대의 깊숙한 내면을 파고들어 정신을 구속하는 겁니다!
—'노멀 모드의 주인공 이본이 고대 레일라 일족이었고'
'공략 대상들을 유물로 세뇌했다'.

이클리스가 그렇게
극단적으로 변한 데에
세뇌의 영향이
없었다 보기 어려워.
어쩌면 벌써 데릭과
레널드한테까지
손을 뻗었을지도.
그나마 다행인 건
유물인 거울 조각이
완전한 상태가
아니라는 거지만….
성인식을
삼 일 앞둔 지금
실패한 내 공략과
본래 스토리보다
일찍 등장해 판치는
정체 불명의
'진짜 공녀'.
모든 게
죽음으로 치닫는
것만 같아….

…그렇다면
발버둥은
쳐 보는 수밖에.
딸랑…
하암
부르셨어요,
아가씨…?
이 새벽에
무슨 일로
에밀리.

헉
아, 아가씨.
설마 한숨도
안 주무셨어요…?
성인식은
어떻게
진행되니?

…성인식이요?
어……

보통은…
황궁 직인이 찍힌 칙서와,
가문 원로분들의
축사를 받은 뒤…
직계 가족들과
셰리주*를
나눠 드세요.
성인이 된 것을
축하하는
의미에서요.
그러니.
셰리주를….
다행이다.
그거 하나는 게임과
똑같구나.

*포도주의 일종

…에밀리,
부탁할 게 있어.
네, 아가씨.
말씀하세요.

날이 밝으면,
흰 토끼 상단에 좀
다녀오렴.
흰 토끼 상단…
그 기묘한 정보상이
있는 곳이요?
그래, 가서
그 사람에게…

쇼곤

아, 아가씨!
그건…!

할 수 있지?
하,
하지만…

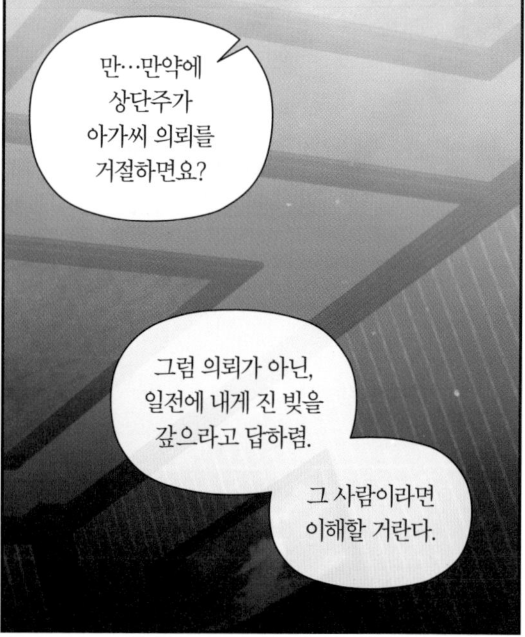
만…만약에
상단주가
아가씨 의뢰를
거절하면요?
그럼 의뢰가 아닌,
일전에 내게 진 빚을
갚으라고 답하렴.
그 사람이라면
이해할 거란다.

에밀리,
난 이제부터
너만 믿을 거야.
이 일은
그 어느 때보다도
비밀스럽게
진행돼야 해.
부디 내 신뢰를
저버리지
않길 바라.

바…
반드시 해낼게요,
아가씨.
제가,
꼭 성공하시도록
도와드릴게요…!

그렇게 나와야 악역의 하수인답지.
딱 한 가지, 탈출을 위해 미처 시도해 보지 못했던 것.
비록 위험 부담이 극도로 크고
이 미친 게임에서 과연 통할지조차 알 수 없지만…
…이대로 휘둘리기만 하다 개죽음당하는 건
사양이야.

악역의 엔딩은 죽음뿐

아침, 유리 온실
〈성인식까지 앞으로 2일〉

아무도 들이지 마. 너희도 마찬가지야.
예, 아가씨.

끼이익
죄인 압송하듯 따라붙는 건 짜증 나지만, 적어도 함부로 방해받진 않겠지.

에밀리는
시킨 대로
해 뜨자마자
떠났고…
모처럼이니
지금 이때만이라도
평화롭게
쉬고 싶어.

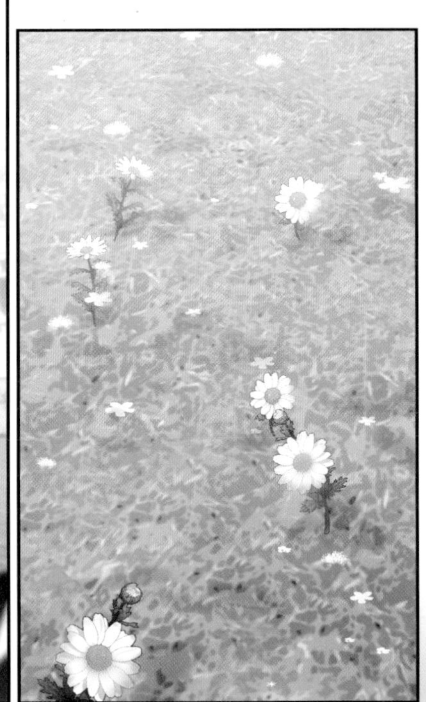

…….
착하게 굴게요,
주인님.

저는 주인님께
줄 수 있는 게
이런 것밖에
없어서…

어때,
잘 어울리니?

너무 아름다워요…
나의 주인님.

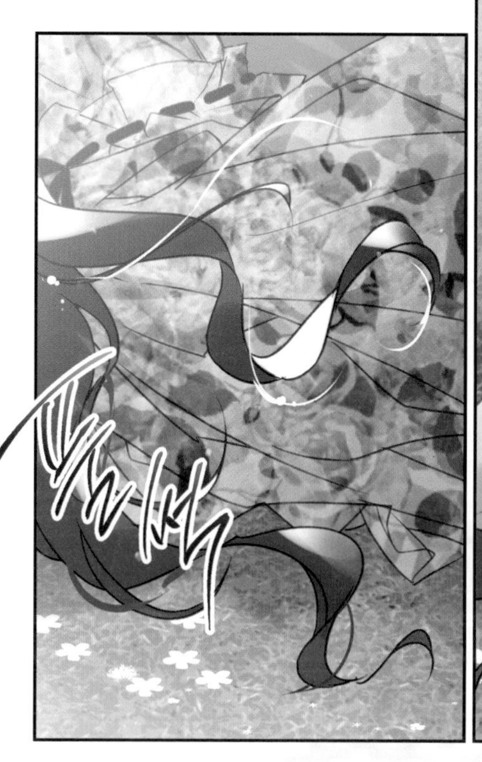
풀썩

피곤해…….

달칵..

저벅
저벅
저벅

저벅..
…아무도
들이지 말라고
했을 텐데.

그 아무나에
황족도
포함되나?

…칼리스토…?

이런,
벌써 깨면
안 되는데.

아직 키스를
안 했거든.

…!!!

저,
전하!
어이쿠.

여, 여,
여긴 어떻게
오셨어요?
꽤 충성스러운
호위들을 뒀더군.
감히 황태자의
앞을 가로막기에
모두 기절시키고
들어왔다.

기절…?
아끼는 자들인가?
욱해서
좀 세게 쳤는데.
아뇨, 그건
아니지만….

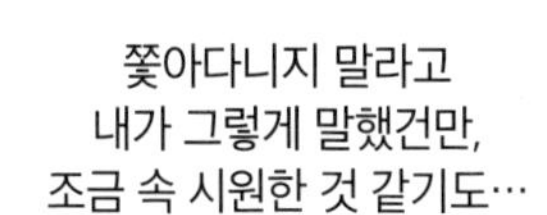
쫓아다니지 말라고
내가 그렇게 말했건만,
조금 속 시원한 것 같기도…

아니,
이게 아니지.
왜 그렇게
멍청한
얼굴이야?

제 말은…
왜 오셨냐고요.

허.
약혼자 집에 마음대로 오지도 못해?

처음 듣는 소리네요. 오라버니들 중 어느 쪽과 약혼하신 건가요?
무슨 그런 끔찍한 농담을 해?
그렇게 안 봤는데 공녀, 사람이 참 재미없어.
진담입니다.

그대의 성인식 선물을 가져왔다.
좀 많아서 미리 갖다 두라 지시했지.
바쁘신데… 그때처럼 보좌관님이라도 대신 보내시지 그러셨어요.
선물이요? …저번에 주신 드레스와 장신구는요?
그건 포상이었고.
…나 참. 왜 이렇게 눈치가 없어?

당연히
얼굴 보러
온 거지.
아니면 내가
뭐 하러 여기까지
직접 행차하겠어?
쿵
쿵
꼭 내 입으로
말을 해야
속이 시원한가?
가만 보면
둔해 터진
구석이 있어.

쿵
나는
아무렇지 않다.
쿵
툭
ooo

…일단…
일어나세요, 전하.
옷 더럽히십니다.
…….

턱

…!

…….

나와
칼리스토 사이에
변하는 것은
아무것도 없다.

내가 그에게
감정을 품었단 걸
깨달았어도,
맞잡은 체온이
뜨겁도록 따스해도.
이제는
아무 의미 없어.

고작 손 한 번
잡았다고 가슴이
두근거릴 일은 없어.
심장이…
요동칠 리도 없어.
빤…
…….

앉으세요.
이봐, 공녀.
그러기 전에
묻고 싶은 게
있는데.

최근
공작저의 재정이
어렵나?
……네?
아니면 밥을 안 줘?
요즘 시대에 아직도
입양아라고
차별도 하나?
그게 무슨…
뭐, 뭐 하세요?!
휙
이 뼈다귀도
그렇고,
안 본 새에
얼굴 꼴이
그게 뭐야.

살이…
그새 이렇게
빠졌었나.
——
안 되겠군.
당장 가서
짐 싸.
황궁으로
가야겠다.

전, 전하.
좀 진정하시고,
앉아 보세요.
요 며칠 식욕이
없었어서 그래요.
별일 아니라고요.
별일이
아냐?

그럼 공녀에겐
뭐가 별일이지?
영양실조로 굶어 뒈진
최초의 귀족이라
비석에 새겨져 봐야
좀 별일인가?
과장 좀 그만하세요.
이 정도로 안 죽어요.
그리고
그렇다 한들,

SYSTEM
<칼리스토>의 호감도를
확인하겠습니까?
4,000,000 골드
200 명성

사랑?

우리 같은 처지에
그런 순진한 단어는
너무 안 어울리지 않나?

제가 식사를 굶든,
그래서 살이 빠지든,
설령 공작가에서
정말로 학대를 받든…

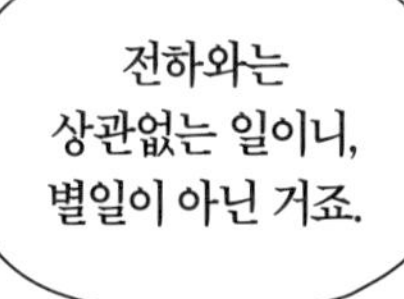
전하와는
상관없는 일이니,
별일이 아닌 거죠.

하지만 이제
시간이 없는 내겐
이 상황도,
그의 호감도도…
다 부질없는 것들일
뿐이잖아.

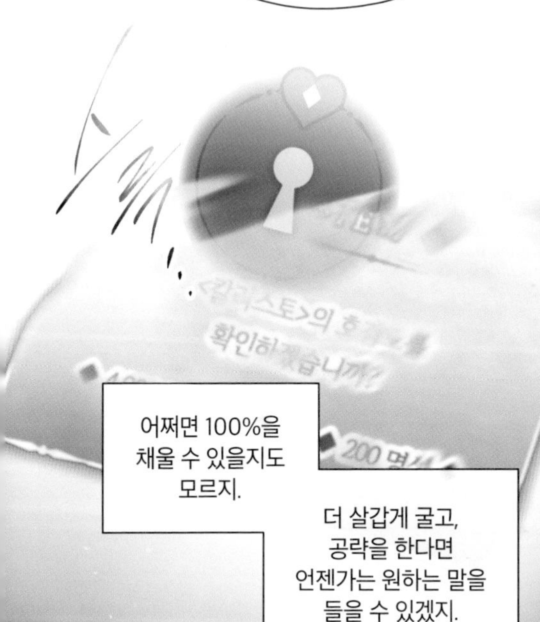
어쩌면 100%을
채울 수 있을지도
모르지.
더 살갑게 굴고,
공략을 한다면
언젠가는 원하는 말을
들을 수 있겠지.

…걱정하는 사람한테
말을 꼭 그렇게
못돼 처먹게 해야 해?
왜요?
뭐?
전하께서 왜
저를 걱정하세요.
우리가
무슨 사이라고요.
무슨 사이긴.
내가
그대에게 청혼했고,
정식으로
약혼할 사이지.
…마침 성인식 전
오신 김에
잘됐습니다.

그날 해 주신 제안에 대해, 돌아와서 충분히 생각해 봤어요.
아무리 생각해도 전하의 제안을 받아들일 순 없어요.
제 답변은 거절이에요, 전하.
…공녀.
…하,
미치겠군….
공녀, 방금까지 우린 그대의 섭식과 건강에 관해 논하던 중이었어.
그 얘기를 꼭 지금 꺼내야 했나?

전…
좋아. 왜지?
참고로 이제 전적이 어떻고 하는 말장난은 안 통해, 공녀.

꽤 편리한
이유였는데…
이젠 못 써먹게 됐네.

난 그대에게 내 목을 그을 기회까지 줬어.
그러니 어디 지껄여 봐. 그대의 이유가 뭔지.

끄덕
말씀하신 이유는 아니에요.

그럼?
전하와 제가 서로의 이상에 합당하지 않기 때문이죠.
이상?
허… 왜 얘기가 그런 데까지 튀지?
어차피 집안에서 정해 주는 혼처대로 결혼할 거,
서로 적당히 마음 맞고 처지 맞는 사람들끼리 잘해 보자는 말이 그렇게 어렵나?
…….
이봐, 공녀. 나는 그대에게 황태자비 노릇 같은 걸 요구한 게 아냐.
인생을 함께할 파트너를 제안한 거지.

얼굴도 모르는 놈과
정략혼하는 것보단
훨씬 나은
선택일 텐데.
어떻게 그렇게
확신하세요?
간단하지.

내가 제일
잘생겼으니까.

피식..

어쭈
웃어?
키득
키득
만약 내가 정말로
페넬로페였다면…

이 세상에서
나고 자란 귀족가
영애였다면
이런 달콤한 말들은
또 없었을 텐데.
…전하.

전에 제 처지를
'공작가에서 내놓은
미운 오리 새끼'에
비유하셨죠.
그런데 이제는
그것마저 아니게
되었어요.
그게 뭔
생뚱맞은
소리야?
'진짜 공녀'가
돌아왔거든요.
공작님의
친딸이요.
꿈틀.

…알고 계셨던 모양이네요.
공작가의 분위기가 심상치 않다는 말을 세작이 전해 온 바 있다.
또 사례금을 노리는 수작질이려니 했는데… 살아 있었군.
그런데 그게 어쨌다고? 그대와 내 관계엔 상관없잖아.
6년이나 지난 이제 와서 공작이 파양이라도 한다던가?
그래서 뼈다귀가 되도록 밥도 안 주고 굶겨?
그런 거 아니에요, 전하. 과장도 그쯤 하세요.

이 상황에 저와의 약혼은 전하께 득이 되지 않을 거란 뜻이에요.
파양까진 안 가더라도, 더는 친딸만 한 대우를 받을 수 없을 테죠.

공작가에서도…
다른 귀족들에게도요.
내 말을
귓등으로도
안 들었군.

내가 선택한 건 너야,
페넬로페 에카르트.
공작가가 아니라.

전하.
그대 말대로면
차라리 잘된
일이지 않나?
친딸이 돌아온 판에,
그대가 출가 좀 한다고
큰 문제 삼겠어?

처지가
위태로워질까 봐
겁이 난다면 더더욱
황궁으로 와.
그럼 끝날 일 아냐?
왜 그렇게
복잡하게 생각해?

난 우리가
서로에게 꽤 호감이
있다고 생각하는데,
내 착각인가?
…그 호감이
사랑은
아니잖아요.
—'호감'.
어린아이도 아니고
무슨 사랑 타령이야,
공녀.

그런 멍청한
감정놀음은
다 끝이 정해진
착각에 불과해.
그대도 그쯤은
알 거 아냐.
진짜니 가짜니,
이상에 합당하지 않다느니,
다 궤변처럼 들리는군.
그대조차
헷갈리는 게 아니라면
제대로 된 이유를
말해 봐.
차라리 내가
싫다고 말하는 게
더 설득력 있겠어.
싫어요.

제가 사랑 없인
싫어요, 전하.
저를
사랑하지 않고,
제가
사랑하지 않는 당신을
선택하기 싫어요.

이제 이유가
됐을까요?
—진작 이럴걸.

우리가
서로에게 가진
'호감'이란
절대
그 이상이 될 일 없는
실낱같은 감정일 뿐.

저는 항상
언제 쫓겨날지 몰라
불안에 떨며 살았어요,
전하.

제가 사는 세상,
눈앞에
주어진 것들,
무엇 하나 진정으로
제 것이었던 적 없는 게
제 삶이에요.

전하의
제안 중에서
제가 언제까지나
공녀 페넬로페
에카르트일 거라는
전제부터가
잘못됐어요.
이건
내 이야기가
아니다.

저는 이 지옥에서
저를 꺼내 줄 수 있을 만큼
절 사랑해 줄 사람을
원해요.
제국의 공녀로서
적당히 이해관계가
맞는 사람이 아니라,
저를요.
저를 이곳에서
꺼내 줄 사람.
모든 게 게임 속
이야기란 것만이
정해진 현실.
내가 어떻게 하든
바꿀 수 없는,
어쩔 수 없는…
그리고
그 사람이—
꾸욱

나는…
아니라고?

네.

전하께선
황제가 되실
거니까요.
칼리스토와
마주한 시간이
늘어갈수록
뇌리에 떠오른다.
피 터지는
황위 다툼에서
무사히 승리한 그가
더없이 만족스럽게
환히 웃던 장면이.
노멀 모드의
칼리스토 엔딩.
이본과
에카르트 공작가의
전폭적인 지원을
등에 업고,
…그래.

지금의 내게 그나마 의미 있는 게 있다면…
찾아보시면, 더 있을 거예요.

적당히 이해관계도 맞아떨어지고
함께 있으면 전하를 웃게 하는 숙녀들이요. 예를 들면…
…….

예를 들면
돌아온 진짜 공녀라든지,

그편이 전하께는 더 나은 선택일 수도—
그 입, 다물어.

이젠 하다못해
중매인까지 자처하면서
황태자를 우롱해?
그대에겐
내 제안이 그리도
우습나?
전…하.
대체 어디까지
나를 모욕할 셈이야,
공녀.
…그런 뜻이
아니란 걸
아시잖아요.
몰라!
제기랄, 나는
네가 왜 이러는지
모르겠다고.

그럼 넌,
날 친딸 나부랭이에게
보내 놓고
다른 놈 찾아
붙어먹은 후에
이 집구석에서 유유히
나가시겠다?
갑자기 얘기가
왜 그렇게 되나요?
어떤 새끼야,
말해.

그런 사람 없어요.
있더라도 전하께서
신경 쓰실 건 아니죠.

나 지금 한계야,
페넬로페 에카르트.
대답 신중히
해야 할 거야.

—대체 왜
화를 내세요?
그럼 지금
화 안 나게
생겼어?!

나야말로 모르겠어.
나를 사랑하지
않는다는 네가
내게 왜 이러는지.
서로 적당히
마음 맞고 처지 맞는
사람들끼리
잘해 보자는 말이
그렇게 어렵나?
전하께서는 감정 없이
이해관계 맞는
귀족가 여식이
필요하고,
저는 저를
사랑해 줄 사람이
필요하고.

이 말이
어려우세요?

…너,
…….

…이제 공작저에
찾아오지 마세요,
전하.

선물을 주지도
마세요.
다른 곳에서 봐도
제게 알은척하지
마세요.
왜.

아무 사이도
아닌 사람들은
원래 그래요.
우리가,
아무 사이도
아닌가?
네.

전하와 저는
아무 사이도
아니에요.
앞으로도
계속.

하…….
……확실하게
해 둘 게 있는데,
공녀.
말씀하세요.

지금…
나 차인 건가?

불쾌하시다면 전하께서 찬 거라 생각하세요.
처음 봤을 때, 제가 미로 정원에서 저지른 만행의 연장선으로요.
나는… 그대도 나와 같은 생각을 지녔다고 믿었다.
정말이지… 이상하군.
나와 같은 곳을 바라보고,
같은 마음으로, 같은 길을 걸어갈 사람이라 생각했는데….
원래 내 앞에서 썩은 생선 눈깔로 미운 말만 잘도 내뱉던 그대니까
거절할 수도 있겠다고 예상은 했는데 말이야.
이딴 식이리라곤 미처 예상치 못해서 그런가,
기분이 정말…

더러운걸.
벌떡
…전하.
쾅

그대의 답변은
알겠다.
성인식 날
보도록 하지.

...아
선물은
이미 주셨으니,
당일엔 오지
않으셔도—
콰앙
확
저벅
저벅

…….
중얼
다행이지, 뭐.

칼리스토가
이본에게 반한 뒤엔
이런 말들을
입 밖에 꺼내지도
못했을 테니까.

그 전에
말할 수 있어서,
비참하지
않을 수 있어서…
다행이야.
다행…

…다행이야.

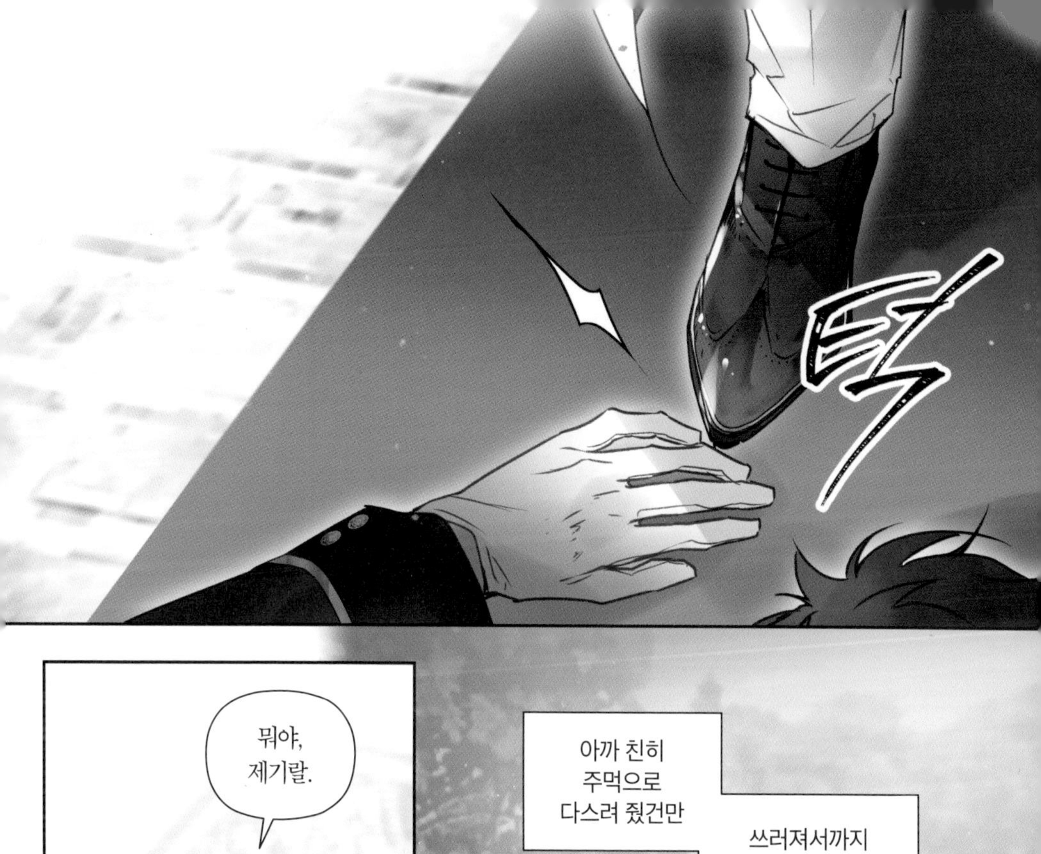
턱

뭐야,
제기랄.
아까 친히
주먹으로
다스려 줬건만
쓰러져서까지
황족 앞길을 막다니,
무엄한 새끼들.
저건
하녀인가?

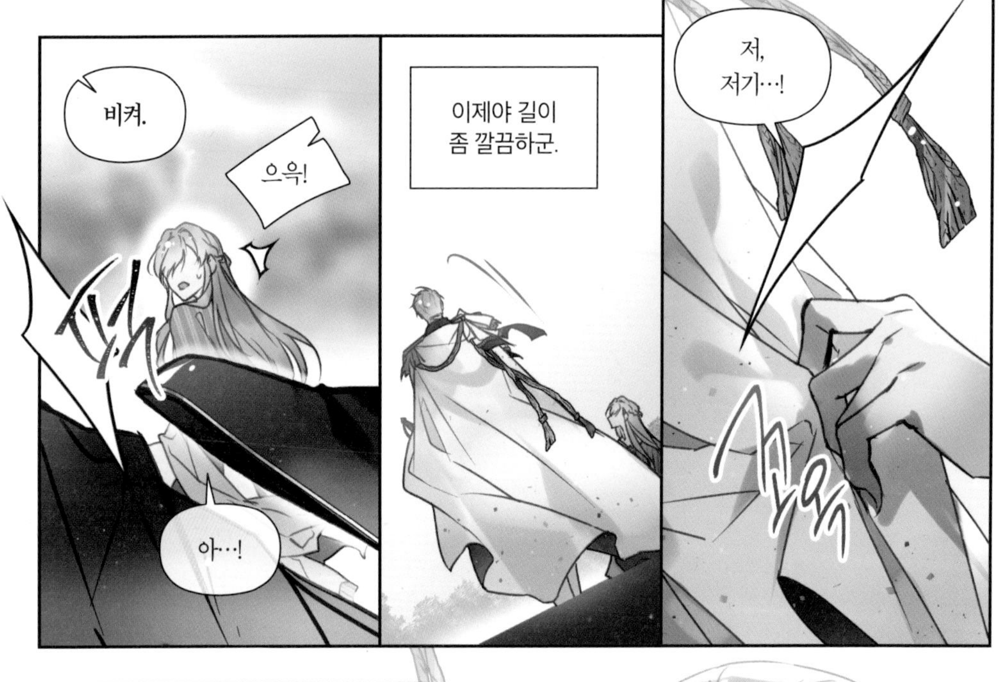
비켜.
으윽!
아…!
이제야 길이
좀 깔끔하군.
저,
저기…!

저, 저는…
공작가에
신세 지고 있는
이본이라고 해요.
아…
안녕하세요.
기사님들이
쓰러져 있어서…
놀라서 살펴보고
있었어요.

보, 본의 아니게
길을 막아서
불편하셨다면
정말 죄송…
손 떼.

네, 네…?
귓구멍이
처막혔나?
잘리기 싫으면
손 떼라고.

헉…!
황족의 몸에 허락 없이 손대면 즉결 처형이라는 거 몰라?
가뜩이나 기분 한번 개 같은데,
이젠 웬 하녀까지 묻지도 않은 얘기나 줄줄 지껄이면서 갈 길을 처막고.
저… 그게, 몰랐, 죄송…
헉…!

죄, 죄송합…
흑, 으흑…!
여자가
우는 소리는
질색이야.

어린 시절,
틈만 나면 날 붙들고
흐느껴 제끼던
누군가가 떠올라서.
미안하구나,
칼리스토…
미안해….

기분 같아선
당장이라도
죽여 치워 버리고
싶지만—
아니…
안 되지.

저 온실 안에는
피를 싫어하고
잔인한 것이라면
질색을 하는
여자가 있으니까.

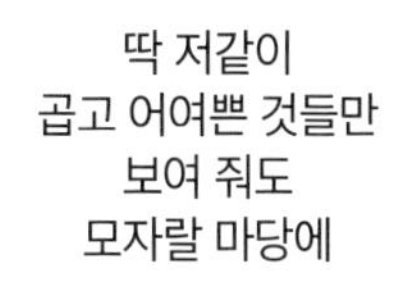

딱 저같이
곱고 어여쁜 것들만
보여 줘도
모자랄 마당에
공작저에서
칼부림 따윌 냈다간
두 번 다시 나와
상종도 안 할 테지….
후우….

엄선된 이들만
받는다더니,
공작저도
고용인 교육이
영 형편없군.

사박

사박
사박

사박
흑…
으흑, 흑….
사박
흐흑….

끼이익
…!
탁

호위들을
진짜 때려서
기절시켰잖아?
패악질 한번
아…

고…
공녀님.
…이본?

지금
우는 거야?
안녕하세요.
저, 이건…
산책을 하는데,
공녀님의 호위분들이
쓰러져 계시길래…
호, 혹시나
공녀님께서 근처에
혼자 계실까 봐,
걱정하고 있었어요.

제, 제가
이런 거 절대
아니에요….

신경 쓸 것 없어.
알아서
일어나겠지.
네?
온실 구경하러
왔나 본데,
볼일 잘 보고 가렴.
멈칫

너…
다쳤니?
아, 그게….

벼, 별거
아니에요.
탁
어디 봐.
핫

미친놈…!
진짜 친딸이라니까!

분명
노멀 모드에서는
한 번도…
하긴, 이제 와서
원래 게임이
다 무슨 소용이야.
이런 짓거리를
벌일 놈이라면
뻔하지…!
공작이나
두 아들놈이
알면 어떡하려고!
다행히 내가
베였을 때에 비하면
스친 정도긴
하지만…
아플 텐데 치료부터
하는 게 좋겠어.
가서 의원을
불러 달라 하렴.

그럼
수고해.
저,
공녀님.
그분은…
황족이신 거죠?
금발에,
붉은 눈을
지니신….

맞아.
황태자 전하셔.
그분과…
가까운 사이이신
거예요?

──네가
그딴 건 물어봐서
뭐 하게.
일개 백성이
어떻게 그분과
감히 친분을
운운하겠니.
아…
죄송해요.

그런데…
의원님이
어쩌다 다쳤냐고
물어보시면…
그냥,
혼자 긁혔다고
하는 편이
좋겠죠…?
움찔

죄, 죄송해요!
괜한 말씀을
드렸어요,
공녀님.
죄송해요….

그걸 왜
나한테 물어보니?
너 하고 싶은 대로
해.
일 키우고 싶으면
사실대로 말하고,
그게 아니면
적당히 지어내든지.

…….
저벅…

페, 페넬로페
아가씨!
오셨습니까!
웅성
웅성

펜넬?
이 상자들은
다 뭐야?
그것이⋯.

삐딱
—아하,
벌써부터
공녀 대접해 주기로
결정된 건가?

드레스에 보석에… 아예 '진짜 공녀'가 돌아왔다고 광고라도 하지 그래?
그, 그런 게 아닙니다, 아가씨! 이것들은 모두,

황태자 전하께서 가지고 오신 아가씨의 생일 선물입니다.
……뭐?

이 홀을 채운 것들이… 전부 다?
예. 오다 주운 것이니 부담 갖지 말라 전하시더군요.

허
아니, 어디서 나라를 통째로 털어 왔나?
선물 같은 거 필요 없댔더니
마침 아가씨 의견을 여쭙고자 기다리고 있었습니다.

선물로 석궁이 많이 들어왔는데, 어떤 방식으로 정리해 두면 좋을지요?
장식용, 이국 수입품, 병사들이 쏘는 실전용까지 종류별로 보내오신지라….
내가 무슨 밥 먹고 석궁만 쏘는 인간인 줄 알아?!

그냥 죄다
돌려보낼까…
아니지,
그랬다간 또
득달같이 공작저로
쳐들어올지 몰라….
하….
머리야

…알아서
정리해 줘.
난 피곤해서
올라갈게.
알겠습니다,
페넬로페 아가씨.
제게 맡기고
푹 쉬십시오.

자! 우선
장신구들부터
종류별로 분류한다!
짝
짝
빠릿빠릿하게들
움직이도록
어째 신난
모양샌데?
앗,
아가씨.

에밀리.
어제 시킨 심부름은
잘 다녀왔니?
네.
자세한 건
방에서
말씀드릴게요.
분부대로
흰 토끼 상단주를
만나고 왔어요.
처음엔…
정말 아가씨께서
보낸 게 맞느냐고
계속 묻더라고요.
그리곤 자기 상단은
그런 의뢰는
받지 않는다며
거절했는데…

시키신 대로
아가씨께 진 빚을
갚으라고
얘기했더니…
곧 준비해서
보내겠다고
대답했어요.

잘됐구나.
고생했어.
쉽지 않았을 텐데.
그런데…
상단주가 아가씨께
이 말을 전해 달라고
했어요.

이걸로 빚은
모두 청산했으니
두 번 다시
의뢰를 받을 일은
없을 거라고….

그래.
두 번은
없어야지.
그날 밤
벌컥

그그그,
그어억—

페넬로페의
성인식 날이 밝았다.

23장

성인식

다들, 오늘이 무슨 날인지 알지?
우리 페넬로페 아가씨가 그 어느 때보다 빛나야 해!
그럼, 그럼!
아가씨, 저희가 영혼까지 끌어모아서 치장해 드릴게요!
샥샥
꼭두새벽부터 대체
대충 해, 제발….
(묵살)
스삭샥

오늘 하루는
얼굴에 손대시면
안 돼요, 아가씨!
알았대도.
아가씨,
드레스 말인데요.

아, 뭐 아무거나
평소에 입던 걸로…
휘적
오늘만은,

이 드레스를
입어 주세요,
아가씨.

저 드레스는
칼리스토가
선물로 준….
이 옷만큼
오늘의 아가씨께
걸맞은 옷이 없어요.

누구보다 빛나셔야 할,
단 한 번뿐인
성인식인걸요.
오늘만큼은
저희 뜻대로
해 주세요, 네?

…….
알았어.
한번 입혀 봐.
파아앗
정말요?
정말이죠,
아가씨?
그럼 드레스와
한 쌍인 장신구도
가져올게요!

이게 뭐라고
엄청 신나 보이네.
평소
내 차림이
그렇게 별로였나
저 옷을
선물한 사람은
오늘 오지 않을지도
모르지.
자기를 거절한 내게
화가 나서 더는
상종하지 않으려
할지도 몰라.

하지만 이번만큼은
하녀들 장단에
어울려 주자.
이런 것도…
오늘이
마지막일 테니까.

…하아.
세상에….

반짝

너무
아름다우세요,
아가씨….
물론 늘
어떤 옷이든 아름답게
소화하셨지만,
오늘은 특히…!

…예쁘네.
이렇게 예뻤구나,
페넬로페.
게임에서 본
모습 그대로, 아니,
그 이상으로….

…미안해.
이런 너에게,
이제부터
못된 짓을
저지르려 해서.

성인식은
언제부터 시작이니,
에밀리?
정오부터 손님을
맞을 예정이에요.
식은 2시 정각에
치러지고요.

이본은…
지금 뭘 하고
있어?
그 여자라면…

오늘도 소공작님의
집무실에서
차를 들고 있댔어요.
이렇게
이른 아침에?
티타임을 가질
시간이 아닌데?

설마 별일 없겠지…
아니, 있더라도
감수해야 해.
어차피 데릭 그놈은
세뇌를 당하든 말든
그게 그거니까.
두리번
아가씨,
그런데요.

어젯밤에 좀
수상한 일이
있었어요.
수상한 일?
베키, 기억하시죠?
그 여자한테 붙은
임시 하녀요.
어젯밤
숙소에서 그 애랑
마주쳤는데…

글쎄, 그 애가 상단 거리로 가는 길을 묻지 뭐예요?
왜액
뭐라고?
그런 걸 왜 이제 말해?!
아, 아가씨를 깨우기엔 너무 야심한 시각이었어요.
하지만 걱정 마세요! 당연히 모른다고 시치미 뗐으니까요!
그랬단 말이지….
이본이 왜 상단 거리를 찾을까. 뷘터를 만나려고?
가능성 있어. 노멀 모드에서도 뷘터는 이본의 최대 조력자였으니까.

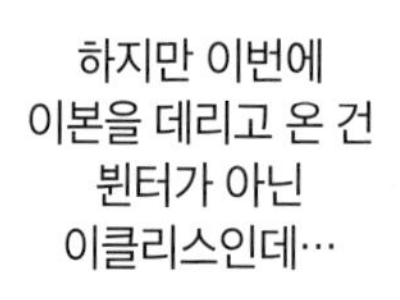
하지만 이번에
이본을 데리고 온 건
뷘터가 아닌
이클리스인데…

뷘터가
'진짜 공녀'를
알아본 건
확실한가?
둘 사이에
어떤 일이 있었는지,
나로선 알 길이
없어….

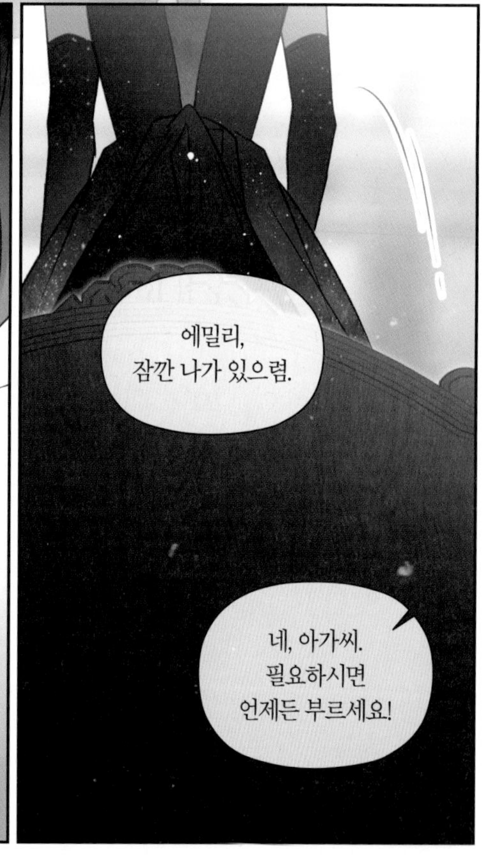
에밀리,
잠깐 나가 있으렴.
네, 아가씨.
필요하시면
언제든 부르세요!

툭
드륵

…….

…응?
번쩍
우웅

뷘터가 준
목걸이가…
우웅
고대 유물입니다.
근처에 독성을 가진
물질이 있을 시에
구슬의 색이 변합니다.
우웅

지금 이 목걸이의 빛과
정확히 똑같은 색을
나는 알고 있다.

그동안
별 신경 쓰지 않았던
호감도 게이지의 색.

그 색깔의
의미는…

99%
―죽음이었구나.
어쩌면 나는
숫자에 눈이 멀어
알면서도
부정했을지 몰라.
그 99%는
죽음 같은 사랑이다.
나를
죽여서라도 가질,
지독한 사랑.
꼭
이 병 안에 든
액체와 다름없는―

!
화들짝
누구야?!
탁

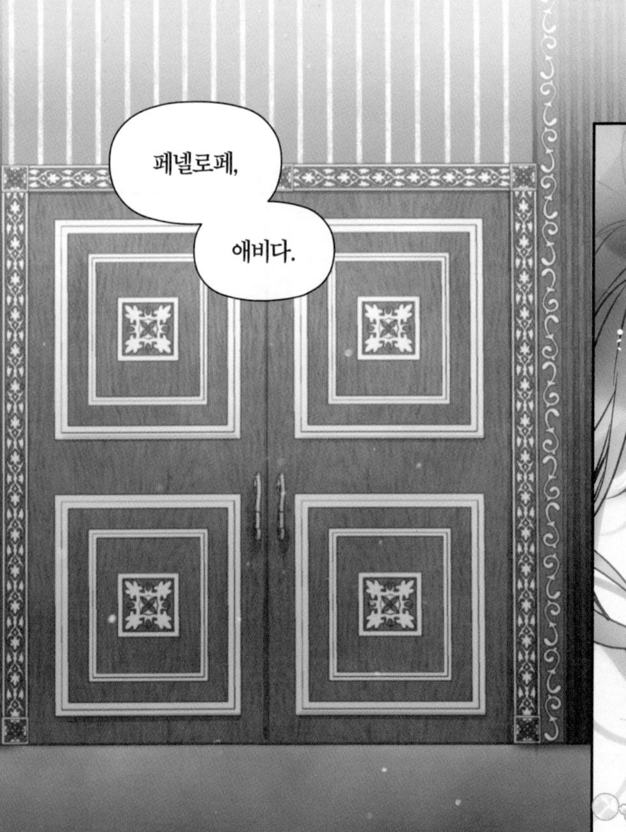
페넬로페,
애비다.

공작?

공작이
이 시간에 왜?
크흠,
들어가도
되겠느냐.
네, 네!
들어오세요!
딸칵
페넬…
멈칫
……?

왜 그러세요,
아버지?
아, 아니다.
우선 앉자꾸나.

오늘…

오늘
무척이나 예쁘구나,
페넬로페.

아….
못 보던 드레스와
장신구인데.
황후 폐하의 재단사를
불러 준달 땐 싫다더니.
따로 맞춘 것이냐?

…네.
차마 황태자의
선물이란 사실은
못 밝히겠음
그래.
네게 참
잘 어울린다.

…아버지도
오늘 멋있으세요.
저…
어쩐 일로
오신 거예요?
?
네가 부탁하지
않았느냐.

네?
성인식 날
아침에

인사를 하러
와 달라고
말이다.

아….
맞다,
그런 부탁을
했었지.
친딸이 저택에
들이닥치기 직전에.

별 의미는 없었는데.
그땐 오늘이면 여기서
탈출할 줄 알았고,
철 좀 들었나 싶었을
수양딸과 하루아침에
헤어질 공작이
조금은 안쓰러웠으니까.
일이 이렇게
꼬일 줄도
모르고.

감사해요,
기억해 주셔서.
한데
손에 든 그건
무엇이냐?
목걸이처럼
보이는데.

손이요?
아.
뜨끔
아차,
정신이 없어서
그대로 손에
쥐고 있었구나.

흐믓
어…
선물로 받은
거예요.
마법이 걸린
목걸이인데,

아버지의 애물릿을
산 무기점에서
성인식을 축하한다며
보내왔더라고요.
아, 그곳
수완이 꽤 좋구나.
다음에 내 화살도
맞춰야겠어.

그런데
오늘 차림에는
좀 과하지 않으냐?
기왕 보내 준
성의를 생각해서
하고 있으려고요.

그래.
마음씨도
곱구나.

오늘따라
왜 이런대.
식전에
얼굴 봬서 기뻐요,
아버지.
손님 맞느라
바쁘실 텐데,
제가 시간 뺏는 건
이만할게요.
큼
페넬로페,
그…
…미안했다.
뭐가요?
요 며칠
호위를 붙인 것
말이다.
아아,
그거.
근신도 아니고
퍽 답답했겠지.
성인식이 끝나면
모두 물리마.

이해해요, 아버지.
제가 혹여
이본을 해코지할까
걱정이 크셨겠죠.
저라도
감시를 붙였을 테니
괘념치 마세요.
뭐? 그게
무슨 소리냐,
얘야.

그런 게 아니다.
호위를 붙인 건
페넬로페 너를 위해
그리한 게야.
…네?

네가 걱정돼서
그랬다.
며칠 전 이본을
데리고 온 그놈을,
네가 그런…
'그런 표정'으로…
바라보길래.

그런 표정…
이라뇨?
그게
무슨 말씀이세요,
아버지…?
……….

…실은,
사냥 대회가
끝난 직후에
달싹
레널드가
고백할 게 있다며
나를 찾아왔었다.
레널드가요?

네가 어릴 적…
공작저로 온 지
얼마 지나지 않아
일어났던 일을
기억하느냐.
대답해, 쥐새끼!
네가 훔쳤지!
페넬로페,
어째서 이본의 목걸이가
네게 있던 것이냐?
저 아니에요.
진짜 아니에요,
아버지! 전 정말—!

…네,
그럼요.
잊으려야 잊을 수 없지.
꿈속에서 느낀
페넬로페의 억울함.
도저히 공작을
아버지라 부를 수 없었던
그 처참함….
레널드 놈이
그때 일에 대해
털어놓았다.
사실 너는
이본의 목걸이를
훔친 게
아니었다고.

네가 다락에
드나드는 게
싫어서
제가 꾸며낸
일이었다고.

다…
아셨어요?

제가 그런 게
아니었다는 것,
전부…?
끄덕…
게임 속
원래의 페넬로페는

죽어서 내쳐질 때까지
이 누명을 벗지
못했는데….
…저한테
벌을 내려 달라
빌더구나.

그런데 난 그놈에게 제대로 된 벌을 줄 수가 없었다.
근신과 강도 높은 훈련이나 시키는 게 고작이었지.
뭔 화목을 그렇게 죽일 듯이 쳐다보냐?
몰골은 또 왜 저래? 요즘 훈련이 좀 빡센 모양이지.
마음 같아서는 있는 힘껏 후려 패고 싶었는데…
내게 그럴 자격이 있는지 의문이 들더구나.

…….
그날, 난 그저 네가 어린 마음에 보석을 갖고 싶어 한 줄로만 여겼다.
아비로서 네 허물을 감싸 주는 게 맞다고 생각했어.

네게 아버지 소리를 다시 듣기까지 6년이나 걸릴 줄 알았더라면, 그러지 않았을 것을.
왜
이제 와서….

그날 네가 날 바라보던 표정이 아직도 눈에 선하다.
이본을 데리고 온 그놈을 보고도 같은 표정을 지었지.

그 순간엔 호위를 붙여서라도
널 그놈에게서 떼 놔야 한다는 생각밖에 들지 않더구나.
…제가 어떤 표정을 지었는데요?

너는…

아무런 표정도…
짓지 않았다.

넌
어렸을 때부터
곧잘 흥분했다가도
어느 순간부터는
오히려 입을 다물고
감정을 지우곤 했지.
그건…
원래의 나와
똑같잖아?
감정에 휩쓸려 봤자
해결되는 일은 없어.
그러니 억누르고,
질식할 때까지
숨을 참다 보면
곧
모든 게 사라지고
아무렇지 않아지니까.
페넬로페, 넌
어디로 간 거니?
이토록 나와 닮은 너.
네가 듣고 싶었을 말들은
하나도 듣지 못하고서.
그런데…

그럴 때…
네 눈이 말이다.
점점 빛이 꺼지면서
생기가 사라져
보일 때가 있는데…
그게
꼭

죽은 사람처럼
느껴질 때가….
──아.

너는

죽었구나.

감정을
죽이기 위해
숨을 참고
또 참고
참아 내다가
진짜로
죽어 버렸구나.
그렇게
악역을 잃어버린
게임 속에
내가
들어온 거야.

아니다, 내가
실없는 말을 했구나.
잊어버리려무나.
두근
두근
그럼… 내가
여기서 탈출하면
페넬로페는
어떻게 되는 거지?

게임 스토리는?
페넬로페 없이도
계속될 수 있는 건가?
두근
난? 나는,
정말로 이 게임에서
빠져나갈 수
있는 거야?
두근
쌔아악
헉….

얘야,
어디 아픈 거냐?
안색이 창백한데
의원을 부를까?
아, 아니요.
아니요,
아버지….

좀… 놀라서요.
아버지도
그 오래된 일을
알게 되셨다는 게….
아, 그래.
그 얘길 하고
있었지…
…….

페넬로페.
흑…

내가 너를…
처음 보았을 때를
기억하느냐?

너는
너무도 작고
빼빼 말랐었다.
먹을 것을
구걸하는 눈이
어린아이답지 않게
메말라 있었지.

어딘가에서
이본도 너와 같이
그럴까 봐
계속 눈에
밟혔다.

—고맙습니다.
가끔씩 구걸하는 너를 볼 때마다 먹을 것이나 좀 챙겨 주려 했는데,
어느 날 금화 하나를 받고 처음으로 웃어 주었지.

이본이 돌아올 가망은 점점 없어지고
너는 죽은 네 어미 곁에서 굶어 죽어 가는데…
그게 참 예뻤다.
그런 널 도무지 두고 올 수가 없더구나.
그래서 결심했다.
──애야.
내가 거둬서 굶지 않게
배부르게 먹이자고….

나와
같이
가겠느냐…?

처음 들었어.
공작의 이야기는, 게임에선 나온 적 없어서….
한데 내가 어리석어, 충동적으로 널 데려와 놓곤 어떻게 돌봐야 하는지 몰랐다.
너는 물론이고 데릭과 레널드에게도 못 할 짓을 했지.

페넬로페,
나는…
너무도 미숙하고
못난 아비라,
아직도 널
어떻게 대해야 할지
모르겠구나.
그저
사 달라는 것들을
모두 쥐여 주고,
네가 매번 화내며
내게 소리치던 말마따나
신경 쓰지 않으면,
그러면
되는 줄 알았다.
…그러면
되는 줄 알았어.

…….
하필 그나마
마음 트고 지내던 놈이
이본을 데려왔으니
네게
상처가 될까 봐
떨어뜨려 놨었지만…
정 원한다면…
이클리스 그놈도
호위로
복귀시켜 주마.

그놈이 그리 좋다면 네 뜻대로 할 테니, 끼니만큼은 제때 들거라.
…그런 거 아니에요, 아버지.

그날은 놀란 나머지 이성을 잃었어요.

이클리스는 축제 거리에서 절 구해 준 은인일 뿐, 그 이상은 아니에요.

하지만 그토록 아꼈잖느냐.

이런 대화들이 이제 다 무슨 소용일까.

그 많던 기회들은 모조리 흘러갔고, 하드 모드는 끝을 보이는데.

——공작님.
이제 제게 그렇게까지 마음 쓰지 마세요.

…페넬로페.

6년간 이본 대신 공작가에 머물며 큰 은혜를 입었어요.

때를 아는 게 귀족의 미덕이라는 것쯤은 그동안 보고 배운 바가 있어 알아요.

그게, 그게 무슨 소리냐. 이본 대신이라니?

저 하나 때문에
공작가 전체가
우스워지길
원치 않아요.
조용히
떠나고 싶어요.
떠나다니!

전부터 왜
자꾸 그런 소릴
하는 게냐?
결혼도 안 한
여식이
집 놔두고 대체
어딜 간다고!
친딸이
돌아왔잖아요.

지금이라도
늦지 않았어요, 공작님.
성인식을
취소해 주세요.
페넬로페
에카르트!

공작가의 체면이
염려되시는 거라면,
대신 이본의 성인식을
성대하게 치러 주시면
되잖아요?
그깟 체면 때문에
성인식을
계속하려는 게
아니야!

그깟
체면 때문이…
아니란 말이다.
하아

…한 번뿐인
네 성인식을
최고로 치르게
해 주고 싶었다.

기뻐할 네게,
늦었지만 용서를
구하고 싶어서….

이본,
그래.
죽은 줄만 알았던
그 애가 돌아와서
실은 눈물 나게
기뻤다.

힘들었을 걸
생각하면
한없이 죄스럽고,
지금 네 성인식을
성대하게 여는 것조차
미안하더구나.
하지만
말이다.
너도
내 딸이야,
페넬로페.
이 집으로 데려온
그날부터
한 번도
내 딸이 아니라고
생각한 적 없다.
이러면
안 되는데.

그러면서
왜 제가 부탁하는 건 하나도 들어주지 않으세요….

내가 또 잘못하고 있는 게냐?
이번을 숨기고 네 성인식을 누구보다 화려하게 치러 주고 싶은 것이, 그리도 못 할 짓이야?

공작님….
성인식을 취소해 달란 청을 들어주지 못해 미안하구나.
하지만 이미 손님들까지 맞은 마당에 취소가 어찌 말이 돼.

이번에 대한 건 충분히 오랜 시간이 흐른 뒤 공표할 생각이다.
그러니 넌 오늘 식을 잘 치를 생각만—

—페넬로페.
페넬로페,
애야.

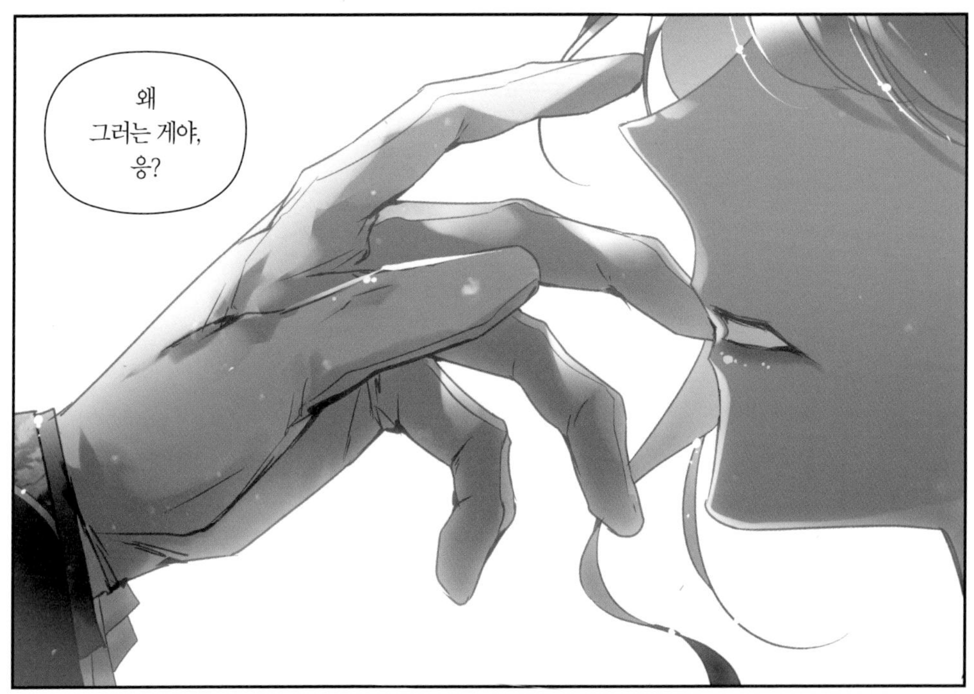
왜
그러는 게야,
응?

생에
단 한 번뿐인
기쁜 날에
왜 울고
그러니.

왜…
눈물이 흐르는 거지.
더듬
페넬로페…
아가.
내 아가,
이 아비가 다
잘못했다.
울지
말아 다오.
응?

고작
게임 속 등장인물일
뿐인데.
그렇게나 비참하고
원망했었는데.

지금
이 순간
정말로 내가
당신의 딸인 것만
같아서…
…아버지.
그래, 얘야.
다 말하거라.

이른 아침,
인사하러 와 주실 수
있으세요?

인사?

네.

철없던
어린 딸과의
작별 인사요.
안녕히 계세요,

아버지.

악역의
엔딩은
죽음뿐

삐요,
삐요오.

삐요오….
예쁜 새네요.

소공작님이 기르시는 새인가요?

아니.
원래 주인 대신 돌보고 있을 뿐이다.
아, 그랬군요…
저런 새는 처음 봤어요. 참… 보기 드문 색이네요.

오라버… 아, 아니. 소공작님, 혹시…
잠깐이라도 좋으니 함께 차를 들 수 있을까요?

……그 차림은?
식에 참석하는 건 아닐 텐데.
아… 레이나 하녀장님이 기분 전환이라도 하라며 입혀 주셨어요.

아무리 그래도 가족의 좋은 날인데,
저 혼자 방에만 숨어 있는 게 안쓰럽다고….

가, 가족이라니
너무 주제넘죠.
죄송해요.
…답답해도
별수 없다.
넌 아직
외부에 내보여선
안 된다는 아버지의
지시가 있었으니.
알고 있어요…
공녀님의
중요한 날인걸요.

공녀님…
오늘 무척
근사하시겠죠?
원래도
어른스러우신데,
성년을 맞으셔서
얼마나 멋지실지….
너도
지난 2월에는
성인식을 치렀을
나이잖나.

…기억하고
계시네요.
제 생일.

오늘…
시간 내 주셔서
감사해요,
소공작님.
제가
저택에 온 날부터
계속 이런 식으로
마음 써 주셨죠.

다정하신 면이
어릴 적
그대로세요.

이번 성인식보다는,
지난 축제를
함께 보내지 못해서
아쉬워요.
올해는
승전 기념으로
한층 화려했다죠?

조금만
더 일찍 기억을
되찾았더라면
이번에야말로
다 함께
불꽃놀이를 볼 수
있었을 텐데….

…이본,
이제 슬슬
시간이…
데릭 오라버니.

저,
원망하지 않아요.

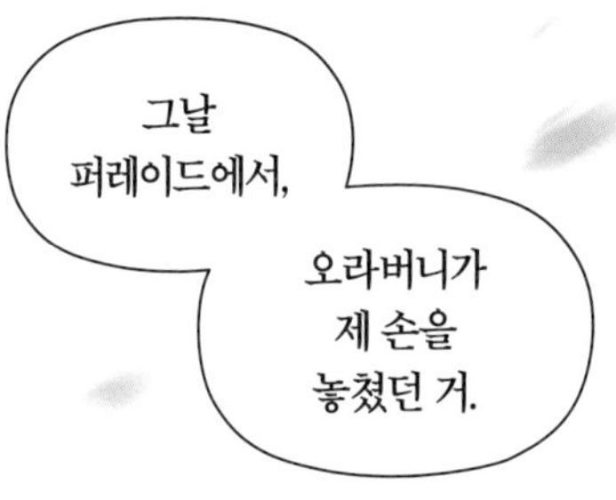
그날
퍼레이드에서,
오라버니가
제 손을
놓쳤던 거.

정말로
보고 싶었어요.
기억을
잃었을 때도,
항상.

식장이
너무 아름답죠,
아가씨….

하늘에서
꽃잎이….
살랑…
환각이 아니라
실체화 마법이에요,
아가씨.
오늘 성인식을
위해
공작님께서
마법사들을
대거 고용하셨대요.
울렁

—디 앨런윅 로즈.
정말로 내
아무런 의미 없던 말을
기억해 줬던 거구나.
꽃으로 식당을
가득 채웠던 때도,
오늘도….

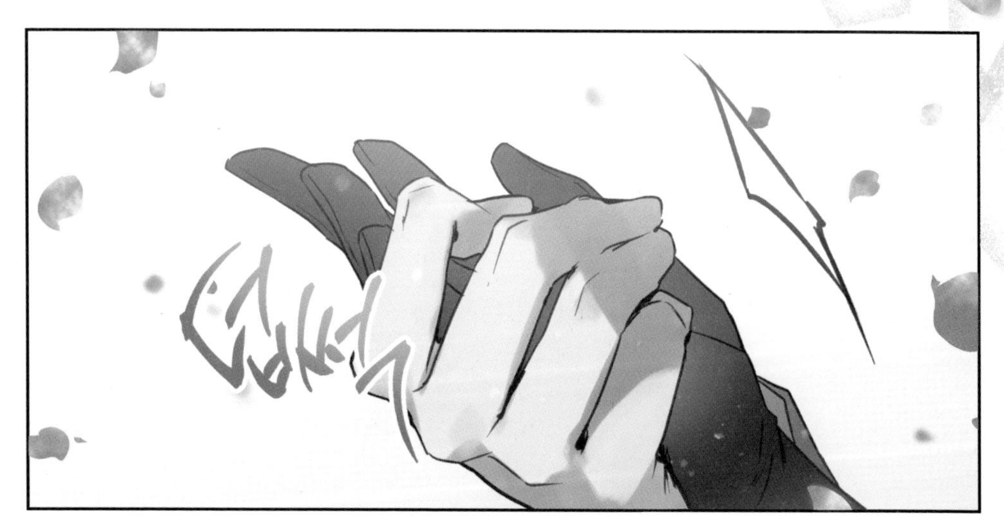

뭐 하냐?
멍청하게 서서.
뭐야.
성인식인데
너 에스코트해 준다는
기사 한 명 없지?
너는 진짜
나 없었으면
어쩔 뻔했냐.
필요 없어,
혼자 가면 돼.
탁
그리고 내가
당분간 말 걸지
말랬지.
야, 야!
오라비가
둘이나 있는 애를
혼자 두면
남들 눈에 집구석이
어떻게 보이겠냐?!

알 게 뭐야.
아,
아버지가!
다급
아버지가
너 사고 안 치게
돌보라고
하셨어!
야, 너도 말해 봐.
시키시는 거
너도 봤지? 어?!
크응
와들짝
그, 그럼요, 아가씨!
저도 들었어요.
꼭 작은 도련님께서
에스코트하셔야 한다고…!
거봐,
다 들었다잖아!
선동과 날조
놀고 있네.
팔 하나
없는 셈 친다.
히죽
척

둘째 공자가
직접 에스코트를 다….
이러니저러니 해도
공작께서
끔찍이 아낀다는 소문은
사실인가 보죠?
이 장식들하며…
공녀에게
여간 공들이는 게
아니네요.
평 판
SYSTEM
공작가 주변인의 인식을
개선하여 명성이 100 올랐습니다.
TOTAL : 460

…야.
아직도 그날 일로 삐쳐 있냐?
아니.
즉답

허참
좀 듣는 시늉이라도 하고 대답을 해라, 어?
듣고 있어.
이거 단단히 삐쳤네.

왜 내가 화났을 거라 생각해? 난 아무렇지도 않아.
말투가 딱 뭐 뒤집어엎기 직전인데?
기대를 배신해서 미안한데, 너한텐 그런 감정 쏟기도 아까워.
오구, 우리 막내 그래쪄요.
우쭈쭈
이게 드디어 돌았나?

…진짜 미안했다. 그날 오해한 거.

일부러
그런 건 아니었어.
너도 알잖냐.
내가 가끔 입을
등신처럼 놀리는 거.
그날은 생각할수록
나도 왜 그랬는지
잘 모르겠다고.
꿈자리가
뒤숭숭해서
그랬나… 제기랄.
본인도
안다니 의외네
시비 못 걸어서
죽은 귀신이라도
붙었나 보지.
이게 오라비랑
자꾸 맞먹어.

…꿈자리?
바로 전날 밤에
그때 상황이랑
똑같은 꿈을 꿨어.

그래서 순간
네가 갤 패는 게
영락없이 현실인 줄로만
알았지.

이런 걸
기시감이라고
하던가?
역시 내 생각이
맞았어.
이클리스뿐만 아니라,
레널드에게도
이미 거울 조각으로
세뇌를 시도했던 거야….
……!
그러니까 평소에
좀 얌전히 살아라,
어?
오죽하면
그딴 개꿈을
다 꾸겠냐.
레널드 넌…
그 애가
안쓰럽지 않아?
걔가?
왜?
네 친동생일지도
모르는 애가
내 성인식 때문에
계속 숨어만 지내잖아.

뭐 어떠냐?
아직 확정 난 것도
아닌데.
사기꾼 아니라고
아버지가 못 박으면
그때 가서
안쓰러워해 주면 되지.
…….
다 왔네.
잠깐 있어 봐…
읏차
주섬
주섬
자,
받아.
이게
뭐야?
뭐긴 뭐야.
내가 주는 거지.
얼른 열어 봐.
달칵

이건…

웬 토끼…?
꼬물..

사냥 대회 끝나고,
네가 갖고 싶댔잖아.
그때 풀어 둔 놈들이
연무장 근처에 새끼를
바글바글하게 깠어.
가지고 싶은 거
있으면 말해.
토끼.
뛰어다니는 거
보고 싶어.

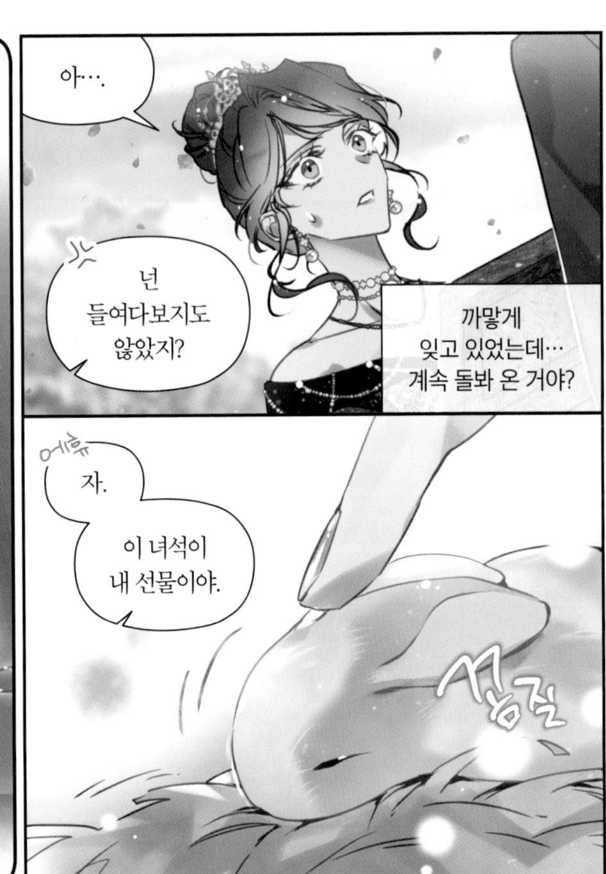
아….
넌
들여다보지도
않았지?
까맣게
잊고 있었는데…
계속 돌봐 온 거야?
에휴
자.
이 녀석이
내 선물이야.

남방의
녹색 토끼까지 구해다
하늘색이랑 짝 붙였는데,
네 눈 같은 청록색은
안 나오더라.
물감이야?
섞으면 색깔
진해지게?
이, 이게 오빠한테
못 하는 소리가 없어!
내가 바보냐?!
그리고
뛰는 모습 보면 얼추
비슷하거든?!

잘 보살펴라.
이제 네가
엄마니까.
제가
맡아 놓을게요,
아가씨
어미는?
없어?
떨어져 나왔거나
부모 없는 애들이야.
내버려두면
굶어 죽었을걸.

돌봐 주겠단 약속은,
애석하게도
못 하겠지만…
…선물,

고마워,
오라버니.

생일 축하한다,
페넬로페.

……….
야,
곧 원로 할아범
올 시간이다.
올해는 또
무슨 잔소리
연설을 할지.
나 아버지 좀
데리고 올게.
잠깐 혼자 있어라.

그런데 형은
이 바쁜 때 대체
어디 있는 거야?
지가 할 일을
내가 다 하고 있네
구시렁
구시렁

…아.
뷘터
베르단디….

저런 살벌한 눈은
오랜만에 보네…
날 경계하는 걸까.
하긴, 내가 한
부탁을 생각하면
저런 반응이
당연할지도.

훌륭한 정보상이니,
진짜 공녀가
돌아왔다는 사실도
이미 파악했을 터.
이런 상황에서
그런 의뢰를 강요한 날
어떻게 생각할까….
…….

?
…아.
맞다,
목걸이를 그대로
하고 나왔잖아.
공녀.
저벅
어떡하지?
벗어 놓을까.
그 병이라면
방에 두고 왔으니
별일은 없겠지만….

…전하.

고귀하신…
황태자 전하를
뵙습니다.

고개를 들어라.

…분명
제가 알은척하지
말아 달라고—
아름답군.

상상했던
것보다 더.
…….
내 눈에만
그렇게 보이나 했는데…
사내놈들 시선이
죄다 이쪽에
꽂혀 있더군.
놈들 눈깔을
죄다 잡아 뽑고 싶은 걸
간신히 참는 중이야.
안 올 줄 알고
입은 건데
무표정으로
저런 소릴?
좀 참아 주세요.
별로 긴 식도
아닐 테니까.
그게
오늘의 주인공이
할 소린가?
아니면
저 없는 곳으로
데려가서
하시든지요.

피식
…그래.
그대는 잔인한 걸 싫어하니까.

폭
내 선물은 잘 받았나?

네. 너무 많아서 다 쓰기나 할진 모르겠지만… 어쨌든 감사드려요, 전하.
오다 주운 거니 부담 갖지 마.
진짜로 한 말이었냐고.

전하께선 공작저에 오실 때마다 어디 약탈이라도 하고 오십니까?
뭐, 어디 탐나는 동네라도 있나? 말만 해. 그대 호전성을 내 미처 몰랐군.
없어요, 없다고요.

그런데
그 괴상한 목걸이는…
지난번 솔레일에서도
하고 있었던 것 같은데.
뜨끔
뭔데 그리 애지중지해?
감히 황태자가 내린
포상 위에 얹어 놓고.
무엄하군.

빈수가 준
선물이에요.
빈수?
그게 누군데.
그때 동행했던
타국의 마법사요.
가면을 쓴.

아,
그 악령 씐
맨발.
바로 저쪽에
앉아 있다고.
뭐 하는
물건인데?

애뮬릿처럼
착용자를 지켜 주는
용도예요.
주변에
위험이 있으면
구슬 색이
변한다고….
흐음…
선물도 꼭
저 같은 걸
줬군.

불쾌하시다면
벗을게요.
아니, 그냥
차고 있어.
오늘 같은 날
무슨 일이 생길 줄
어떻게 알고.

그리고
마법 실력 하나는
믿을 만한 자였잖나.
괴짜 같긴
해도 말이야.

…….

나도,
칼리스토도
서로
느끼고 있다.

오늘만큼은
다투지 않기 위해
두 사람 모두
부단히도 노력하고
있다는 걸.
…이 정도면
됐어.

마지막으로
이만큼 아무렇지도 않게
마주 봤다면
아무 미련도
남기지 않을 수
있어.
…전하.
대화가 길어져서
사람들이
쳐다봐요.

이제
그만…
…그대를 보면,
불쑥

내가 아는
어떤 이야기가 불현듯
떠오를 때가 있어.
네?
어떤…
그냥,
황가에 전해지는
허무맹랑한
건국 설화야.

태초에
이 제국을 다스렸다는
어떤 용에 대한.
이제는 거의
사장된 전설이나
다름없지만….
그 용은
빛나는 날개로
세상의 모든 어둠을
땅 아래로
내리눌렀다더군.
그 빛이 비치는 곳은
어떤 그림자도
발붙일 곳이 없었다지.
…그런 얘기가
저랑 무슨 상관이죠?
참 이상해.

분명
어제까지만 해도
그대가
얄밉고 괘씸해서
미칠 것 같았거든.
오늘 아침만 해도
확 가지 말까,
계속 고민했는데
말이야…

그런데
이곳에 도착해서
그대를 보는 순간
그대의
머리카락 위로
빛이 부스러져서

눈을 뗄 수가
없더군.

—전하의 머리카락이
샹들리에 빛에 반사돼서
반짝반짝 빛나는데,
그게 꼭
황금 가루가
떠다니는 것 같았어요.

쿵
…——
쿵
만지작
분명 햇빛 때문에
그런 줄 알았는데…
가까이 있는데도
계속 그래, 공녀.

쿵
정말 이상하군…
발광 마법이라도
걸어 놓은 건가?
쿵

눈이 부실
지경이야.

◆ SYSTEM ◆

<칼리스토>의 호감도를
확인하겠습니까?
◆ 4,000,000 골드 ◆ ◆ 200 명성 ◆

…마지막이니까.
SYSTEM
4,000,000 골드를 지불하여
<칼리스토>의 호감도를 확인합니다.
남은 소지금 : 999,999,999+ 골드
89%
하아
…다행이다.
지난번
느꼈던 실망감이
거짓말 같아.
네가 아직 나와
완벽히 사랑에 빠진 게
아니라는 사실에…
더없이 마음이 놓여.
89%
별거 아니에요,
전하.

전하께서
하사하신 보석들이
너무 값진 것이라
그렇게 보일 뿐이에요.
그런가?

네.
……그렇군.

그대가 그렇다면
그런 거겠지.

황태자
전하.

전하를
뵙습니다.
바쁘신 와중에
참석해 주셔서
무한한 영광입니다.

오랜만이군,
공작, 공자.
당연히 와야지.
장차 내게 큰 힘이 되어 줄
공작가의 대사가 아닌가.

크흠.
인사를 더
나누고 싶사오나
송구하게도
시간이 된지라.
아, 그래.
공녀의 한 번뿐인
성인식이
늦어선 안 되지.

생일 축하해,
공녀.
감사합니다.

저벅
—이제

식을
거행하지.

에카르트의 독녀,
페넬로페 에카르트의
성인식을
진심으로 축하하노라.
대이오카 제국의
명예로운 귀족이자
충성스러운 백성으로서
그 성과 이름을
널리 알리고…
…이상,
폐하께서 전하신
말씀이다.
망극합니다.
이어서
에카르트 공작가
원로 대표의
축사가 있겠습니다.

크음, 큼큼…
비록 시작은
번데기 속 한낱 미물에
불과하였으나,
성년을 맞이하여
이제는 긍지 높은
에카르트의 일원으로서
지난날의 허물을 벗고
미성숙한 발악은
한때의 치기로 묻어
주절
주절
원로 할아범
잔소리가
이런 뜻이었구나.
으윽
나 때의
악몽이

…따라서
페넬로페 에카르트가
성인이 되었음을
정식으로 선포하노라.
탁

짝
짝
짝
짝

짝
짝
짝
짝

짝
짝
짝
펜넬.
끄덕

셰리주.

에밀리가 알려 준
절차대로야.
직계 가족끼리
축하와 경애의 의미로
이 술을 나눠 마시고 나면
식은 얼추 마무리된다.
피로연이
남아 있긴 하지만,
가장 중요한 의식은
지나가는 셈.

이제 정말로
끝이 보이는구나.
그런데 데릭 이놈은
대체 어디
처박혀 있는 게야.

데릭?
식이
거행되는 내내
데릭이 자리에
없었다고?
아오, 아까도
한참 찾았는데
안 보이던데요.
지금이라도
다시 찾아올까요,
아버지?
당장 갔…
아니다.
펜넬,
자네가 데릭 놈 좀
찾아 주게.
예,
공작님.

이후 식 진행에 앞서
잠시만 기다려 주시기
바랍니다.
의외네.
레널드도 아니고,
에카르트의 위신을
그렇게나 중시하는
데릭이 이런 문제를
일으키다니?

성인식 같은 특별한 날에는
아무 잔이 아니라
본인만이 애용하는
금배*를 써요, 아가씨.

페넬… 아니,
내게도 잔이 있어?
그럼요.
소공작님과
작은 도련님 성인식 때
사용하셨잖아요.

*금으로 된 잔

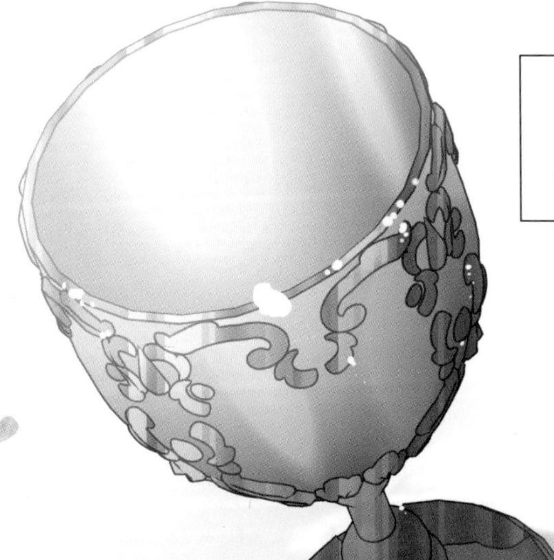
페넬로페의 잔에는
이름도
새겨져 있지 않구나.
데릭의 성인식 때
급히 준비했던 잔이라고
듣기는 했지만,
그 후로도
시간은 있었는데.

어쩌면 주인공 없는
오늘의 성인식엔
걸맞은 잔일지도 모르지.
술렁
기다리는 시간이
좀 길어지네요.
그러고 보니
소공작이 보이지
않는데….
무슨 문제라도
생긴 건지…?
술렁
술렁
…….

페넬로페,
잔을 들거라.
식을
계속하겠다.

쪼르르

너무 독하거든
마시는 척만 하고
슬쩍 버리려무나.
그건
반가운 소리네.
챙

페넬로페를
위하여.

짝
짝
짝

저벅
주륵
페넬로페를
위하여.
짝
짝
짝…
…오늘
자리를 빛내 주신
귀빈들께
감사드립니다.

소공작은
안타깝게도
일이 있어…
어머.
보세요,
저쪽에….
…?

늦어서
죄송합니다.

저벅

저벅
저벅
저벅

저 아가씨는
누구죠?
소공작의
연인일까요?
대체….
—데릭,
너,
너……!!

아,
아버지….

24장

페널티

아버지…?
웅성
그럼
저 아가씨가
설마…
웅성

데릭 에카르트!
너, 너,
대체
이게 뭐 하는
짓이야!!

직계 가족이 모두
참석해야 하는 자리가
아니겠습니까.
동생을
데리고 오느라
시간이 좀
걸렸습니다.

너 이…!!
다시 생각해도
납득할 수가
없습니다,
아버지.

왜 페넬로페의
성인식을 위해
이본의 존재마저
숨겨야 하는지요.
가솔들과
귀빈들이 모인
이 자리에서
공표하시죠.

어릴 적
잃어버렸던
'에카르트 공녀'가
다시 돌아왔음을.

웅성
웅성
결국 이렇게 되는구나.
생각보다 놀랍진 않네. 둘이 다과를 든다 했을 때부터 예상했기 때문일까.
꿈틀
……….
내가 패악이라도 부리길 바랐다는 표정이네.
저놈은 이제 아무래도 좋아.
지금 중요한 건—
팟

SYSTEM

하드 모드의
기한이 끝났습니다.

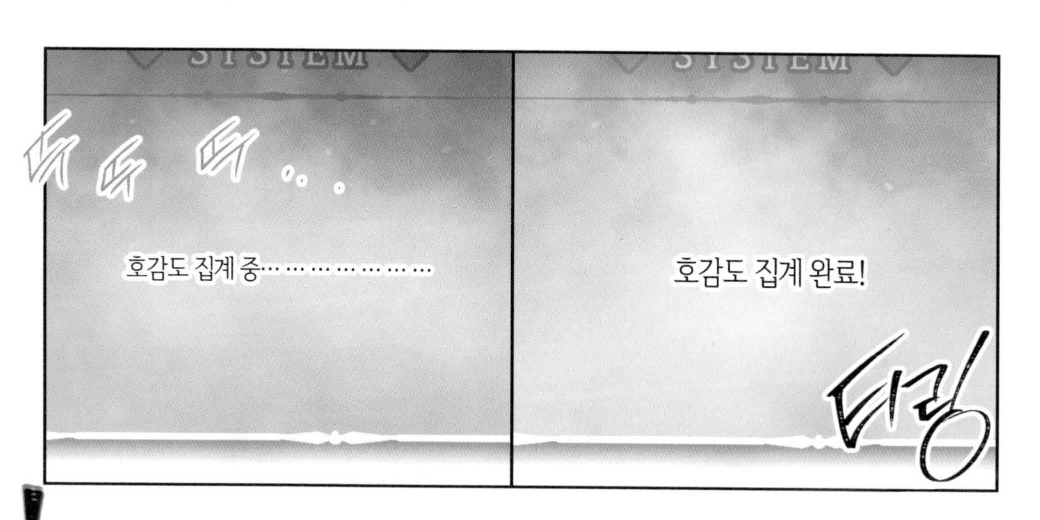
SYSTEM
뚜뚜뚜...
호감도 집계 중………………………
SYSTEM
호감도 집계 완료!
띠링

SYSTEM
당신은 기한 안에
그 어떤 공략 대상의 엔딩도
보지 못했습니다.
실패로 인해 페널티가 발생합니다.
화아악
페널티?
뭐야?
무슨 페널티가…
…!!

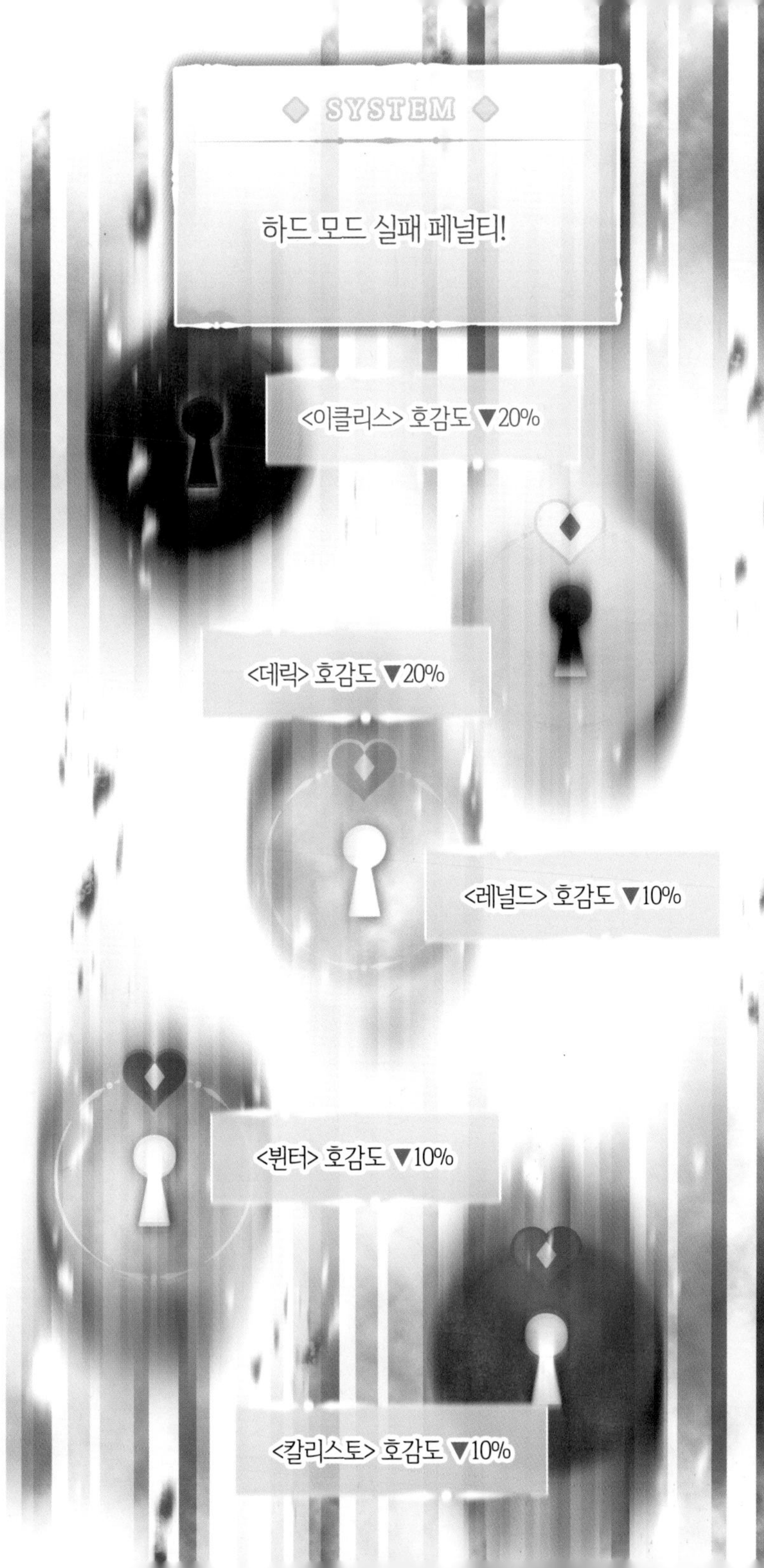
SYSTEM
하드 모드 실패 페널티!
<이클리스> 호감도 ▼20%
<데릭> 호감도 ▼20%
<레널드> 호감도 ▼10%
<빈터> 호감도 ▼10%
<칼리스토> 호감도 ▼10%

하,
하아…
하하…

하하,
아하하…
야, 너….

모든 게
예상대로야.
하드 모드는
처참하게 끝났고,
난 여전히
이 빌어처먹을 게임 속이다.

괜찮아.
이럴 걸 대비한
'최후의 수단'이
아직 남아 있잖아.
상관없어.
이제 다 상관없어.
하지만…

그렇다고
너희가 원하는 대로
당해 주고만
갈 순 없지.

페넬로페,
잠깐…
저벅
이본.

신에게 감사하게도
제 하나뿐인 자매가
집으로 돌아왔어요,
여러분.

마지막까지
진짜 공녀를 핍박한
악역으로 보이다 가면,

그간 비굴하게
목숨이나 구걸하며
여기까지 온 내가
너무 불쌍하지 않겠어?

아버지께선
이본의 귀환 사실을
알리려 하셨지만,

제가 손님들 사이에
혼란이 일까 봐
피로연 때 공표해 달라
부탁드렸어요.

언니의 존재를
숨기려 했다니,
첫째 오라버니와
오해가 있었나 봐요.
오늘 아침에도
제 방에서 얘기한
일이잖아요.
그렇죠, 아버지?
——

이리 와,
이본 언니.
내게 셰리주를
따라 주겠어?
우린 이제
가족이잖아.
아…
페넬로페
에카르트.
아버지.

제
생일이잖아요,
네?

…….
…펜넬,
여분의 잔을.
예…
공작님.

조용…
…….
스윽
스윽

저 애는…
에밀리가 말한
이본의 임시 하녀,
베키라는 앤데?
꾸벅
집사장님이
말씀하신 잔을
가져왔습니다.

아무렴
어때.

따라 줄 거지?
이본.

고, 공녀님…
아니,
페넬로페…!

그럼,
물론이지…!
…….

고마워, 페넬로페.
그리고 미안해.
성인식을 망쳐서….
탁
그런
소리 마,
망치긴.
미안해할
필요 없어.
어차피…

우우웅

우웅
……어?
우웅

?
——아가씨,
어젯밤에 좀
수상한 일이 있었어요.

수상한 일?
글쎄,

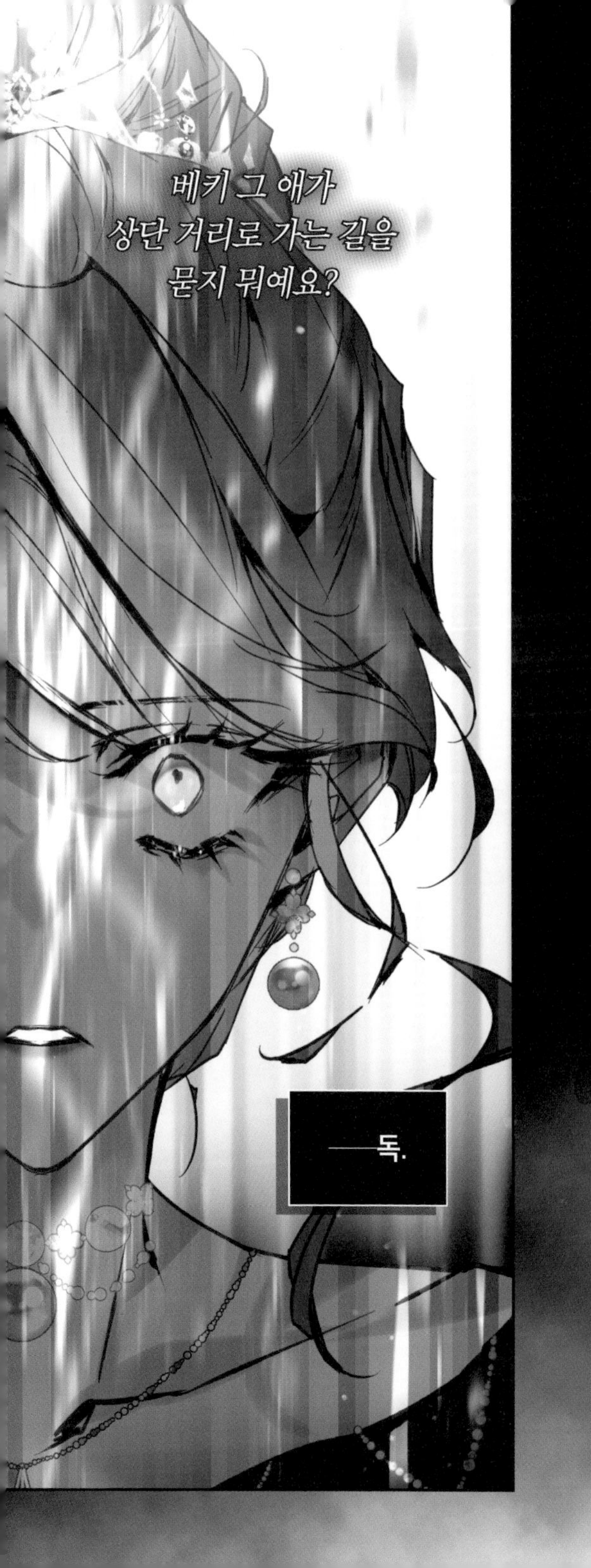

베키 그 애가
상단 거리로 가는 길을
묻지 뭐예요?
——독.

그래,
내가 남겨 둔
'최후의 수단'은 바로

죽어서
탈출하는 거였다.

하드 모드의 끝을
코앞에 둔 내가
떠올릴 수 있었던
유일한 탈출법.
진짜로 죽을지도
모른다는 위험을
감수하더라도.
그래서 뷘터에게
독을 의뢰했어.
잠든 것처럼
고요히 죽을 수
있는 것으로.

내가 죽어
나자빠지는 꼴을 보면서
천사 같은 이본이나
의심해 보라지.
그리고 원래
성인식 도중에
일을 칠 계획이었지.
약간의 심술로,
최대한 많은 사람이
보는 곳에서.

하지만 그 독은
결국 오늘 아침
서랍 속에
두고 나왔어.
너도 내 딸이야,
페넬로페.
네 성인식을 누구보다
화려하게 치러 주고 싶은 것이,
그리도 못 할 짓이야?

독이야
식이 끝난 뒤에도
먹을 수 있으니까.
오늘은
페넬로페에게도,
공작에게도
단 한 번뿐인 날이니까
식을 무사히 마친 뒤,
홀로 조용히 시도할
생각이었는데.
왜 그래,
페넬로페…?
그렇다면
지금
이 목걸이가
반응하는 건…

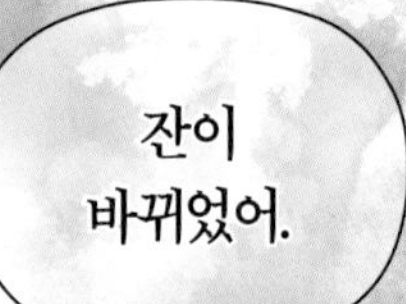
잔이
바뀌었어.

이본.

으, 응?
그 잔이
내 잔이야.
이름이 없어서
헷갈렸나 봐.
어?
하지만,
그럴 리…
…!
흠칫

그
목걸이는…
우웅
우웅

앗!
스윽
페, 페넬로페,
술이…
네 잔
들어.
뚝
뚝

오늘의 주인공은 제가 아니라 돌아온 이본이에요, 여러분.

모두
축하해 주세요.
진짜 공녀의 귀환을.

페넬로페!
너…!
이 짓도
이제 끝이로구나.
결국
이렇게 될걸.
지금껏
뭘 그토록
두려워했던 걸까.
젠장, 뭐야…
뭐가 어떻게
돌아가는 건데?

데릭.
네가 바라던 결말이
이거였을까?

게임도
다 끝난 마당에
호감도 게이지는
왜 남아 있는지
모르겠지만…
이게
이본이 판 함정이든,
정해진 스토리든
더는 알 바 아냐.
……?
저 색은—
지긋지긋한
면상들.
지긋지긋한 호감도.
이 상황들,
이 세상…

이제
안녕이야.

주인공을
위하여.

!!!
레이디!!!

베르단디 후작이 왜 저러죠?
대체 무슨…
공녀가 하는 애기…
……
…하.
……!
눈앞이… 어지러워.
비틀
──의원을,
지금 당장!
속에서

당장 의원을
불러야…!
천불이──
으윽,
커흑…!
울컥

까아악—!
에카르트 공녀가
피를…!
페넬로페!!
컥,
커헉…
SYSTEM
메인 에피소드 ~사라진 아이들의 행방~
{악의 세력으로부터 아이들을 구하라}
히든 보상 발동!
뭐…야.

고난도 하드 모드를
열심히 헤쳐 온 당신!
이대로 끝내기에는 아쉽지요?

열렬한 플레이에 대한 보답으로
오직 당신에게만 특별한 기회를 드립니다!

SYSTEM

특별 가격으로 히든 엔딩을 보시겠습니까?
~~1,000,000,000 골드~~ ▶ 500,000,000 골드

◆ YES ◆ ◆ NO ◆

몸이…
말을 안 들어….

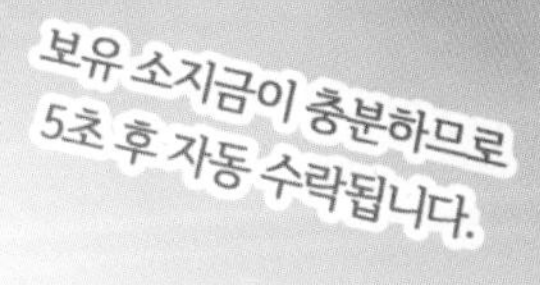

5
뭐야?!
미친, 아냐,
아니야!
거절,
거절을…!
4
커헉!
의원을,
의원을 불러라!
어서!
페넬로페
에카르트—!!
3
안 돼,
꺼져!
안, 안……
꺼……

빌어먹을 시스템 창이
사라지기 전에
죄다 꺼지라고!
커억!
2
페넬로페!
SYSTEM
특별 가격으로 히든 엔딩을 보시겠습니까?
~~1,000,000,000 골드~~ ▶ 500,000,000 골드
◆ YES ◆
◆ NO ◆
페넬로페…
레이디…
아니야, 비켜!
비키라고! 망할!
안, 안…
1

SYSTEM
500,000,000 골드를 지불하여
히든 루트로 진입합니다!
남은 소지금 : 999,999,999+ 골드
제발
그만 나를

죽
여
줘…

주인공을
위하여.

…—
달싹
페넬—

너 대체
뭐 하는 새끼야!

…아버지?
소공작이란 놈이 아비 명령을 귓등으로 처듣고
온 제국 사람들 앞에서 일을 그따위로 만들어 놔!
이곳은… 아버지의 집무실인가?
어떻게 된 거지? 바로 조금 전까지 내 집무실에서 이본과 차를……
——아니.

방금 전까지
그녀의 성인식장에 있었다.
까아악—!
페넬로페!
에카르트 공녀가 피를…!
페넬…
페넬로페 에카르트—!!
비틀
금발…… 황태자……?
의원을, 의원을 불러라!

다음 권에서 계속!

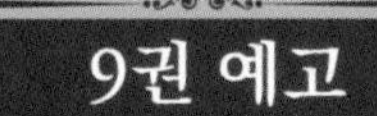

9권 예고

**"저는 이 지옥에서
저를 꺼내 줄 수 있을 만큼
사랑해 줄 사람을 원해요."**

생기를 잃어가는 꽃처럼
차가운 침묵 속에 갇혀 깨어나지 못하는 페넬로페.

칼리스토는 떨리는 손끝으로 그녀를 어루만지며,
간절한 마음으로 자신의 진심을 전하는데….

잔인할 정도로 늦게 찾아온 깨달음.
과연 칼리스토의 진심은
페넬로페에게 닿을 수 있을 것인가?

9권을 기대해 주세요!

죽지만 마.

악역의 엔딩은 죽음뿐 8

초판인쇄 2025년 4월 28일

만화 수월
원작 권겨을

펴낸이 최원영
편집팀장 장혜경
책임편집 구유희
표지디자인 박민솔
본문디자인 (주)디자인프린웍스
타이틀 디자인 크리에이티브그룹 디헌

국제업무 박진해 조은지 김수지 국경님 유자영 박이서 남궁명일
온라인 마케팅 박선혜 한혜지 박서희
관리·영업 김민원 조은걸
물류 이순우 최준혁 박찬수

펴낸곳 (주)디앤씨미디어
출판등록 2002년 4월 25일 제20-260호
주소 서울시 구로구 디지털로32길 30 코오롱디지털타워빌란트 1301-1308호 (08390)
대표전화 02-333-2513 **팩스** 02-333-2514
이메일 webtoon_book@dncmedia.co.kr
블로그 blog.naver.com/dncent

ISBN 979-11-7382-007-6 07810
979-11-93549-79-7 (SET)